임윤희
도서관 열혈 이용자. 문헌정보학 전공자나 전문가는
아니지만, 외국에 나갈 때마다 생선 가게를 지나치지 못하는
고양이마냥 도서관을 기웃거리는 일을 20여 년 해 왔다.
물론 한국 도서관도 좋아하는데, 그중 제일 좋아하는 곳은
지금 사는 동네의 도서관이다. 평범한 도서관이지만 제일
정들었고 가장 마음 쓰는 곳이다. 현재 지역 도서관의
운영위원으로 활동하면서 좋은 도서관을 만드는 데 아주 조금
힘을 보태고 있다.
본업은 책 만드는 일로, 나무연필이라는 작은 출판사를
운영하면서 논픽션을 펴내고 있다.

도서관 여행하는 법

도서관 여행하는 법

앎의 세계에 진입하는 모두를 위한 응원과 환대의 시스템

임윤희 지음

유유

모두를 성장시키는 공유의 꿈이 이루어지는 자리

"어쩌다 도서관 덕후가 되었나요?"

사람들에게 종종 받는 질문이다. 이 질문에 답하는 것으로 책을 시작하는 게 좋겠다는 생각이 든다. 그것이 아마도 도서관에 대한 내 경험의 여정을 보여 주는 것일 테니 말이다.

이 이야기를 시작하려면 지금으로부터 20여 년 전으로 시간을 거슬러 올라가야 한다. 나는 학창 시절에 나름대로 도서관을 꽤 이용했던 사람이다. 지금도 흔치 않은, 번듯한 도서관 건물이 있고 사서 선생님도 있는 고등학교에 다녔다. 대학에 들어가서는 꽤 많은 장서를 보유한 대학도서관을 드나들며 신나게 책을 빌려 댔다. 하지만 학교라는 문턱을 넘어서 사회생활을 시작하고 보니 내가 이용할 수 있는 도서관은 도무지 찾아볼 수가 없었다.

직장 생활을 처음 시작한 그 시절에 내가 느꼈던 막막함을 좀 더 이야기하자면, 당시는 주5일제가 시작되기 전이었고 내가 다니던 회사에서는 토요일에 격주 근무를 했다. 그리고 당시 내가 이용하던 공공도서관은 내 퇴근 시간에 맞춰 문을 닫았다. 직장인에게는 황금 같은, 한 달에 고작 두어 번 주어지는 토요일 휴무 날 오전에만 도서관에 들어갈 수 있었던 거다. 간다 한들 이전의 학교에 비하면 자료가 빈약하기 그지없었다. 결국 나는 쥐꼬리만 한 월급의 3분의 1을 서점에 갖다 바치며 살았다. 가장 아쉬운 점은 전문 자료를 볼 수 없다는 것이었다. 공공도서관의 자료는 대중서에 국한된 경우가 많아서, 전문적인 지식을 다룬 자료는 찾아보기 힘들었다. 대학도서관에서 이따금 대출하곤 했던 영어 원서는 언감생심 꿈꾸지도 못할 자료였다. 뉴스에서는 '평생학습'이라는 말이 조금씩 회자되었지만, 나는 내내 나를 단련시키고 나아갈 수 있게 만들어 주는 앎에 허덕이는 직장 초년생이었다.

자유롭게 해외여행 할 수 있는 시대가 열리면서 나도 한번 가 볼까 생각하고 외국의 도시로 여행을 갔다. 특별히 도서관을 둘러볼 생각은 없었다. 도서관이 그저 방문했던 도시의 한가운데에 멋진 건물로 당당히 서 있었을 뿐이다. 그래서 도시를 돌아다닐 때면 오가다가 계속 눈에 들어왔을 뿐이다. 나는 길거리 상점을 구경하는 가벼운 마음으로 슬쩍 도서관에 들어갔다. 그러고서 충격이 시작되었다.

도서관 앞에서는 테이블을 놓아두고 시민단체 활동가들이 서명을 받고 있었다. 한 달쯤 전에 남편이 권총으로 자기 아내를 살해한 사건이 벌어졌다며, 여성에 대한 폭력에 반대하고 손쉬운 총기 사용 허가에 대해 재고하자는 캠페인을 벌이고 있었다. 나는 이때 받은 유인물을 마치 첫사랑 상대에게 건네받은 편지처럼 아직도 간직하고 있다. 이 도시를 여행하고 있는 내가 서명을 해도 괜찮은지 물었더니, 흔쾌히 좋다고 했다. 나는 빙긋 웃고서 서명을 해 주었다.

이 장면이 내 뇌리에 또렷이 남아 있는 것은 이곳이 공공도서관이었기 때문이다. 공공도서관 앞에서 한 도시에서 벌어진 문제에 대해 활동가들이 이야기를 펼치고 시민들과 이야기 나누는 모습을 보면서 많은 생각을 했다. 대학도서관 앞에서 내가 종종 보았던 것들이 공공도서관에서도 가능한 거구나 싶었다. 당시 내가 이용하던, 동네 꼭대기의 한구석에 있어서 낑낑거리며 걸어올라가 책을 빌려 오곤 했던 공공도서관에서는 도무지 상상하기 어려운 광경이었다.

시민단체 활동가들을 뒤로한 채 도서관에 들어가서는 또다시 경악을 금치 못했다. 나는 당시까지 개가제

도서관을 제대로 이용해 본 적이 없었다. 내가 다녔던 고등학교와 대학교의 도서관은 한국에서 손꼽힐 만큼 좋은 편이었지만, 모두 폐가제로 운영되었다. 그런데 이 도서관은 공공도서관임에도 모든 책들을 내 손으로 직접 뽑아 들고 살펴볼 수 있는 개가제로 운영되고 있었다. 아니, 여기는 서점도 아닌데 이곳이 바로 천국 아닌가!

지금은 한국의 도서관 이용자들도 폐가제 도서관이 구닥다리라는 걸 모두들 알고 있다. 한국의 도서관 역시 시간이 지나면서 나날이 발전해 왔다. 하지만 20여 년 전의 나에게 해외의 공공도서관은 충격이었다. 멋진 건물, 훌륭한 시설, 내가 이용하던 대학도서관보다 훨씬 많은 장서 수, 사서들의 전문적인 서비스, 이용자들의 자유로운 분위기 등은 정말 놀라웠다. 사실 처음에 나를 사로잡은 것은 눈에 보이는 것들이었다. 돈 내고 들어가라고 해도 아깝지 않을 것 같은 건물 그리고 그 안에 가득 차 있는 수많은 책들! 그런데 여행에서 돌아온 뒤 흥분을 가라앉히고 그간 한 번도 들여다보지 않은 도서관에 관한 책들을 살펴보면서 그다음 생각들이 이어졌다. 다른 건 모두 개인이 사서 쓰는 자본주의 사회인데 왜 도서관은 무료로 이런 서비스를 하는 것일까? 도서관이 뭐기에? 해외의 도서관은 대체 왜, 어떻게 이런 고급한 서비스를 유지하고 발전시켜 온 걸까? 이 사회는 왜 이렇게 도서관 운영에 공을 들이고 있는 걸까? 이건 어떻게 가능한 걸까?

해외 도서관을 처음 보고 느꼈던 놀라움은 이렇게 나를 한눈에 사로잡았다. 하지만 내가 지금까지 도서관 덕후를 자처하는 것은 그다음 생각들이 이어졌기 때문이다. 한 시민이 어떤 앎의 세계에 진입하려고 할 때 그를 응원하고 격려하며 도움을 주는 시스템이 있다면 사회 전체가 더 나아질 것이라는 믿음이랄까. 또한 부유하든 가난하든 잘났든 못났든 늙었든 젊었든 장애가 있든 없든 간에 그 모두에게 열려 있는 공간을 만들고 어떻게 하면 그것을 유지할 수 있을지 고민하는, 어렵지만 흥미진진한 실험이랄까. 도서관의 세계에는 그런 멋진 꿈이 있었다.

지금의 내가 굳이 외국에 놀러 가서까지 도서관을 둘러보는 것은 건물이 멋지거나 책이 많거나 서비스가 좋아서만은 아니다. 오히려 도서관이라는 이름으로 만들어 온 사람들의 꿈을 살피기 위해서다. 그런 꿈을 꾸는 사람들이 어떤 도전과 노력을 하고 있는지 들여다보다 보면 그들의 마음이 슬며시 느껴진다. 나는 바로 그것을 발견하기 위해 도서관을 여행한다.

그런 의미에서 이 책은 실제 도서관에 대한 상세한 정보가 가득한 여행서가 아니다. 해외에서는 이러저러한 서비스를 하는데 우리도 모두 이런 서비스를 해야 한다는 식으로 이 책이 읽히지 않기를 바란다. 좋은 것들을 모아 소개하긴 했지만, 그것은 모두 그들 각자의 사정 속에서 특화된 것이다. 마치 우리에게도 우리만의 특별한 사정이 있듯이 말이다. 오히려 이 책이 바람직한 세상을 꿈꾸고 인간의 풍요로운 성장을 꾀하면서 그것을 나누는 방법을 연구해 온 사람들의 꿈을 들여다본 여행서로 읽히기를 바란다. 나는 운 좋게 그런 멋진 장면을 보았지만, 그런 장면을 실제로 하나씩 단단하게 만들어 온 이들은 따로 있다. 좋은 도서관을 만들기 위해 노력해 온 수많은 사서들이 대표적인 주역일 것이다.

이분들의 노력을 알기에 처음에 도서관에 관한 글을 청탁받았을 때 주저했다. 오랫동안 기회가 있을 때마다 여러 도서관을 기웃거리는 열혈 도서관 이용자로 살아왔지만, 번데기 앞에서 주름을 잡는 심정이 들었던 것도 사실이다. 그럼에도 선뜻 이야기를 보탠 것은 내 자리에서 할 수 있는 격려와 응원의 목소리가 조금이나마 도서관이라는 꿈의 공간을 현실화하는 데 도움이 되지 않을까 싶은 마음에서였다. 이 책에 언급한 내 생각들은 대개 나보다 먼저 도서관에 대해 고민하면서 시민들에게 서비스를 해 왔던 이들의 생각에 기대고 있다. 이 책에 대한 상찬이 주어진다면 그것은 오롯이 그분들의 몫이다. 어설프거나 잘못 전한 것이 있다면 그것은 전적으로 아직 부족한 내 탓일 테고 말이다.

마지막으로 내 본업에 대한 이야기를 해야 할 것 같다. 나는 도서관마다 빼곡히 들어차 있는 책을 만드는 일을 하는 사람이다. 세상에 보탬이 되는 이야기를 책으로 펴내려고 노력하지만, 일단 내 손을 빠져나가면 이 책들은 내 의지와는 별개로 세상 곳곳을 유랑하고 다닌다. 그 책들의 좋은 유랑지 중 하나가 바로 도서관일 것이다.

　　작년 연말에 시 낭송 행사에 참석한 적이 있다. 이 책에 비하면 진짜 전문가의 도서관 여행서라 할 법한, 그리고 내가 고이 만들었던 『우리가 몰랐던 세상의 도서관들』의 필자 선생님이 시 낭송을 하러 무대에 올라가셨다. 현직 도서관장이기도 한 선생님께 사회자가 물었다. "선생님에게 올해의 화두는 무엇이었나요?" 선생님은 망설이다가 아주 진지하게 말씀하셨다. "어떻게 하면 사람들이 도서관에 와서 책을 읽을까, 하는 거요." 객석에서는 숙연함이 흘렀다가 조금 뒤 와 하고 웃음이 터져 나왔다. 묵묵하지만 진지한 그런 마음들이 내가 만든 책들을 세상에서 숨 쉬게 만드는 데 일조할 것이다. 특히 나와 같은 일을 하는 동료들이 도서관에 더욱 많은 관심을 기울였으면 하는 바람이다. 촘촘히 책을 읽고 애정 어린 마음으로 도서관을 대하는 사람이 늘어날수록, 세상은 좀 더 나아질 것이다. 이 책이 그런 세상을 만드는 데 조금이나마 보탬이 되었으면 좋겠다.

I
먼 곳으로 떠난 여행
― 외국 도서관을 둘러보다

1
{ 세상에 대한 질문의 답을 찾아가는 길 }

미국에 있는 동생 집에 놀러 갔을 때의 일이다. 언젠가부터 집 뒤뜰에 있는 식물에 노란 열매가 달렸단다. 그것의 정체는 무엇일까? 먹어도 되는 걸까? 혼자 죽기는 싫어 당시 초등학교 1학년이었던 조카와 함께 먹어 보았다. 살짝 시면서도 달큰했다. 하지만 계속 남는 의문. 이건 대체 무슨 열매일까?

갑론을박하는 식구들 사이에서 조카는 의기양양하게 말했다.

"도서관에 가서 물어보면 돼요!"

다음 날, 조카와 나는 열매를 몇 알 따 들고 동네 도서관에 가서 물었다.

"이거 이름이 뭐예요?"

한 사서 선생님께 자초지종을 설명하니 다른 선생님

들까지 주위로 몰려들었다. 여기서도 갑론을박이 이어졌다. 한 사서 선생님이 외관으로 봐선 노란 방울토마토 같다 하시더니 사무실에서 조그만 칼과 장갑, 지퍼백을 들고 나오셨다.

"이 열매 잘라 봐도 되니?"

"예. 그런데 토마토처럼 안에 씨가 많진 않아요."

선생님은 마치 집도에 들어간 외과 의사처럼 장갑을 끼고 열매를 잘라 내부를 살펴본 뒤 재빨리 지퍼백에 열매를 밀어 넣고서 씩 웃으셨다.

"혹시 독이 있을지도 모르잖아."

조카가 그럴 리 없다는 듯 큰 소리로 대답했다.

"이미 다 먹어 봤어요. 우리는 안 죽었고, 게다가 맛있다고요!"

열매 가운데 딱딱한 씨앗이 하나 들어 있는 것으로 봐서 토마토는 아닌 걸로 판명됐다. 도서관 이용자들까지 가세해 살구파와 자두파로 나뉘어 논박이 이어졌다. 사서 선생님은 우선 어린이용 식물 백과사전을 찾아 대출을 권하셨고, 동네의 화원 연락처와 약도를 복사해 주시면서 도서관에서 보냈다고 이야기한 뒤 직접 질문해 보라고 하셨다. 가능하면 열매뿐만 아니라 식물의 사진도 찍어 가라는 조언도 덧붙이셨다. 혹시나 거기서도 정체를 알 수 없다면 식물 사진을 보며 함께 인터넷 검색을 해 보자는 약속도 하셨다. 우리는 해부된 열매가

든 지퍼백과 화원 연락처 및 약도가 적힌 종이 한 장, 그리고 책 한 권을 들고 도서관을 나왔다. 열매의 정체를 알 순 없었지만, 그 정체를 파악하는 방법은 배우고 돌아온 것이다.

갓 학교에 들어간 조카는 궁금한 것이 있을 때면 도서관을 떠올렸다. 그럴 때 편히 물어볼 수 있는 곳이 있다니! 북미 도서관의 참고봉사 데스크reference desk●에는 '물음표'가 상징처럼 붙어 있는 경우가 많다. 거기에는 세상의 모든 질문에 길을 찾아 주려고 대기 중인 사서 선생님들이 앉아 계신다. 질문이란 세상에 대한 호기심을 가진 사람들만이 갖는 특권. 동네 도서관에서 조카와 나는 사람들의 환대를 받으며 질문의 답을 찾는 길을 안내받았다.

1992년 미국에서 제작된 실화를 바탕으로 한 영화 『로렌조 오일』은 희귀병에 걸린 아이를 둔 부모가 신약을 발견해 내는 이야기를 담고 있다. 그 병에 걸린 환자 수가 너무 적은 탓에 제약 회사는 신약 개발에 관심이 없다. 스스로 아이를 살릴 방법을 찾아야 했던 부모는 고민 끝에 도서관을 찾아간다. 의약품에 대한 아무런 지식도 없었던 이들을 사서는 책 속의 길로 인도한다. '로렌조 오일'은 바로 그들의 아이 이름을 따서 지은, 부모가 만들어 낸 신약 이름이다. 이들에게 도서관이 없

● 도서관의 일반적인 정보를 소개해 주는 안내 데스크(information desk)와는 별도로 이용자들이 필요로 하는 전문적 정보를 제공해 주는 데스크.

었다면 과연 희귀병에 걸린 아이를 살릴 수 있는 이 약을 만들 수 있었을까?

동생 집 뒤뜰에 열린 열매의 정체는 야생 살구로 밝혀졌다. 종종 살구를 볼 때마다 생각한다. 지금 우리 동네 도서관은 조카의 질문 같은 것들을 진지하게 받아 주는 곳일까? 잘 모르겠다. 또 다른 생각도 한다. 나는 쭈뼛하지 않고 세상에 질문을 던질 용기가 있는 사람일까? 이 역시 잘 모르겠다. 하지만 확실한 건 내 질문을 진지하게 듣고 함께 길을 찾는 도서관이 동네에 하나쯤 있다면 신약 개발까지 할 깜냥은 못 되더라도 질문을 더 잘 꺼낼 수는 있으리라는 점이다.

"인터넷에 아무리 믿을 수 없을 만큼 방대한 정보가 있다 해도 나는 도서관에서 시작하는 방식을 고집하며, 그건 지금도 마찬가지다."

『애틀랜틱 먼슬리』의 기자 에릭 슐로서가 자신의 저서 『식품 주식회사』에서 밝힌 이야기다. 물론 지금은 인터넷 검색이 모든 질문을 해결해 준다는 시대다. 어쩌면 동생 집 뒤뜰에 있는 나무에 대한 정보는 식물 검색 앱이 더 잘 찾아 줄지도 모른다.

나는 에릭 슐로서처럼 완고하게 도서관을 고집하지는 않는다. 인공지능 시대의 무한한 가능성에 대해서도 관심이 많다. 하지만 질문의 답을 찾는 방법이 인터넷 단 하나만 있는 세상이 오진 않았으면 좋겠다. 답을 찾는 다채로운 과정이 우리에게 더 많은 가능성을 열어 줄지 모르니까. 사람과 마주하면서 눈을 맞추고 말을 주고받으며 얻게 되는 배움의 기쁨을 포기하고 싶지 않으니까. 어쩌면 도서관은 이 가느다란 가능성을 일상에서 품을 수 있게 해 주는 보루일지 모른다. 그런 공간으로서의 도서관이 바로 내가 꿈꾸는 곳이다.

2
{ **모두에게 열려 있는 두 번째 집** }

　북미의 대도시에 들를 때면 어물전 앞 고양이마냥 호시탐탐 도서관에 들른다. 개관 시간이 되면 이들 도서관 앞에는 많은 노숙자들이 늘어서 있다. 그들과 나란히 도서관에 들어가면서 도서관이 누구에게나 열려 있다는 게 어떤 의미인지 생각하곤 했다.

　누구나 이용할 수 있다는 데서 느껴지는 자유와 가능성의 기운은 마냥 낭만적인 것만은 아니다. 그것은 일상에서 마주할 일이 전혀 없거나 심지어 대척점에 있을 법한 사람들과도 한 공간을 공유해야 한다는 뜻이다. 민주주의가 고안해 낸 '평등'이란 그렇게 서로 다른 사람들이 함께하는 법까지 익혀야만 비로소 달성할 수 있는 것이다.

　북미 도서관에 처음 방문했을 때 내가 가장 놀란 것은

바로 이 노숙자의 존재였다. 도서관에서 주최하는 오페라 입문자들을 위한 강의를 들으러 갔더니 옷을 잘 차려입은 직장인들을 비롯해 다양한 이용자들이 옹기종기 모여 있었는데, 바로 내 옆에 더러운 카트를 끌고 온 한 노숙자가 앉았다. 이걸 어쩌지 싶은 마음이 들었지만, 누구도 그를 막아서지 않았다. 강의에서는 성악을 전공하는 대학생들이 아리아를 불러 주었는데, 내 옆의 노숙자는 눈을 지그시 감고 그 노래를 감상했다.

나도 즐겁게 그 노래를 감상했지만 그가 뿜어내는 냄새만큼은 곤혹스러웠다. 이는 북미 도서관에서 많은 이용자들이 불만을 제기하는 사항이다. 물론 도서관의 입장은 단호하다. 도서관은 누구에게나 열려 있다. 특정인에게 이곳의 출입을 금할 수는 없다. 하지만 도서관으로서도 노숙자들과 함께 공간을 이용하는 해법을 찾는 것이 쉬운 일은 아니다. 그래서 사서들의 콘퍼런스에서는 자주 이 문제를 현명하게 해결하기 위한 방법들이 논의된다.

예를 들면 샌프란시스코 공공도서관은 사회복지사를 직원으로 고용하고 도서관 내부에 샤워 시설을 만든 뒤 이용자의 항의가 들어오면 노숙자에게 샤워를 권한다. 지역의 노숙자 지원 단체와 연계하여 인문학 프로그램을 만들고 식사를 지원하는 도서관도 많다. 그렇게 노숙자는 엄연한 도서관 이용자로 자리하고 있다.

한국에서는 IMF 때 많은 해고자들이 도서관을 이용한다는 기사가 나오기도 했다. 그런 기사들을 읽으면서 나는 가슴을 쓸어내렸다. 이 사회의 한구석에 회사에서 내쫓긴 이들에게 내어 줄 자리가 하나쯤은 있구나 싶은 마음이었다고 할까? 최근 사례를 들자면, 에어컨 없이 지내기가 힘든 여름에는 도서관이 극심한 더위를 피하는 피난처가 되기도 한다. 이처럼 도서관이란 돈을 내지 않고도 누구나 이용할 수 있는 최후의 사회적 보루 중 하나일 것이다. 이 세상 누구도 나를 환대해 주지 않는 것만 같을 때 들를 수 있는 곳, 그런 곳이 세상에 하나쯤은 있어야 하지 않을까?

그렇게 생각하면 건축이나 시설이 월등한 외국의 멋진 도서관들은 좀 다른 맥락으로 다가온다. 손에 아무것도 쥔 것 없는 이에게 사회가 제공한 공간의 수준이 그 사회가 일반 사회 구성원을 대하는 태도를 보여 준다.

수년 전 여름, 미국 라스베이거스에서 열린 미국도서관협회American Library Association 연례 콘퍼런스에 들렀다가 영화배우 제인 폰다의 기조강연을 들었다. 5박 6일 동안 3만여 명이 참석해 600여 회의 크고 작은 강의와 토론이 진행되었는데, 그중 제인 폰다의 강연은 사람들을 가장 많이 끌어모은 행사였다. 화사한 금발의 노배우는 연단에 서서 청소년 시절 도서관이 자신에게 얼마나 안락하면서도 풍요로운 쉼터였는지를 단아하게 설명해 나갔다.

그 이야기를 들으면서 문득 내 고교 시절을 되돌아보았다. 나를 걱정하고 염려하는 부모님에게조차 불쑥 화가 치미는 질풍노도의 청소년기, 누구에게도 방해받지 않을 수 있는 공간이 있었으면 좋겠고, 제발 나를 혼자 내버려 두었으면 좋겠다는 생각이 들었던 그 시절에 나나 내 친구들이 갈 곳은 학교와 집, 학원과 독서실뿐이었다. 강연장을 나와서 받아 든 유인물에 적힌 "도서관은 나의 두 번째 집"The library is my second home이라는 문구가 가슴에 들어와 박혔다. 집처럼 안전하고 안락하게 드나들 수 있는 도서관이 있었다면 나의 청소년기는 어떻게 달라졌을까?

청소년이든 해고자든 노숙자든, 아니 그 어떤 사람이든 인간은 강한 것 같으면서도 취약한 존재다. 우리는 모두 다르고, 어쩌면 같은 지역에 살고 있을 뿐 무언가를 공유해 본 경험이 없는 존재일지 모른다. 함께하는 법, 그 관용의 정신과 태도는 수많은 시행착오와 좌충우돌의 과정을 거치며 익혀 가야 하는 것이다. 소외되고 어려운 이들도 평등하게 마음 편히 있을 수 있는 곳이 있다는 건 커다란 마음의 위로가 된다. 도서관이란 내게 그런 곳이다.

3
{ 도서관은 어떤 곳이어야 하는가 }

지금까지 둘러본 외국 도서관 중 어느 곳이 가장 좋았느냐는 질문을 종종 받는다. 여러 도서관이 떠오르지만, 이 질문에 대한 답은 언제나 캐나다에 있는 밴쿠버 공공도서관이다. 콜로세움을 닮은 건물도 첫눈에 마음에 들었고, 그곳에서의 경험 덕분에 나는 도서관을 새롭게 인식할 수 있었다. 일종의 첫사랑과 같은 곳인 셈이다.

도서관 안내판에 붙어 있는 각종 정보를 이용해 현지인처럼 도시를 탐험하는 법을 익힌 곳도 이곳이고, 여행자의 외로운 저녁 시간을 흥미진진하게 보내는 법을 배운 곳도 이곳이며, 앞서 이야기한 노숙자와 한자리에 앉아 처음 강의를 들었던 곳도 바로 이곳이다. 이후 다른 도서관들을 둘러보면서 이게 밴쿠버 공공도서관에서만 할 수 있는 경험이 아니라는 걸 알게 됐지만, 그럼에도 이곳은 내 해외 도서관 덕후 생활의 풋풋한 시작점으로 기억된다.

이 도서관은 북미의 저명한 건축가 모셰 사프디의 설계로 지어졌으며, 2015년 영국 BBC에서 선정한 '세계에서 가장 아름다운 10대 도서관' 가운데 하나로 꼽히기도 했다. 2003년 평창과 밴쿠버가 동계올림픽 후보지로 맞붙었다가 평창이 탈락했는데, 그때 밴쿠버를 소개하는 영상의 시작을 장식한 것이 바로 이 도서관이었다. 그만큼 밴쿠버 공공도서관은 지역을 대표하는 랜드마크이자 주민들의 사랑을 받는 곳이다.

지금까지 나는 밴쿠버를 총 다섯 차례 방문했는데, 사서들의 임금 인상 문제로 파업이 벌어져 도서관이 문을 닫았던 한 번을 제외하고는 네 번 모두 밴쿠버 공공도서관을 뻔질나게 드나들었다. 갈 때마다 소소한 추억이 켜켜이 쌓여서 할 말이 많고도 많지만, 그중 하나만 소개하면 다음과 같다.

밴쿠버 공공도서관 내부 가운데에는 건물을 관통하는 중앙 통로가 있고, 내벽이 통유리로 되어 있어 도서관 안에서 중앙 통로를 환히 들여다볼 수 있다. 10여 년 전의 어느 해 12월 도서관에 앉아 있는데, 꼬마들이 중앙 통로로 몰려와 나란히 서는 게 눈에 띄었다. 무슨 일인가 싶었는데, 그 아이들이 한 학생의 지휘에 맞춰 크

리스마스 캐럴을 부르기 시작했다. 알고 보니 동네 초등학교 대항 합창대회에서 1등을 한 학생들의 짤막한 공연이었다.

도서관 중앙 통로에서 울려 퍼지는 아이들의 노랫소리는 도서관을 가득 메웠고, 사람들은 삼삼오오 창가에 모여들어 노래를 들었다. 세 곡쯤 부르고서 아이들이 감사 인사를 할 때는 모두 앙코르를 외치며 박수를 쳤고, 앙코르 곡까지 이어졌다. 노래하는 아이들의 얼굴에도, 노래를 듣는 사람들의 얼굴에도 미소가 가득했다. 한 해를 따뜻하게 마무리할 수 있을 것만 같은 온기가 도서관을 가득 메웠다.

이 풍경이 왜 그리도 흐뭇하고 인상적이었을까? 아이들의 노래에 도서관 이용자들은 잠시 책에서 눈을 뗐다. 어찌 보면 그 아이들은 도서관에서 책을 읽는 사람들을 방해한 것이다. 하지만 도서관 내부에 마이크까지 설치해 모두가 그 노래를 들을 수 있게 한 걸 보면 그 자그마한 행사는 도서관의 허가를 받은 게 분명했다. 그 공연은 아이들에게 좋은 발표의 기회이기도 했겠지만, 이 도서관 사람들이 이용자들에게 건네준 조그만 연말 선물 아니었을까?

도서관은 남에게 방해되지 않게 입 다물고 조용히 공부하는 곳이어야만 할까? 책은 과연 조용한 곳에서만 읽을 수 있는 걸까? 그렇다면 수많은 카페에서 책을 읽는 사람들은 과연 어떻게 설명해야 할까? 도서관에서 타인의 독서를 방해해서는 안 되겠지만, 그렇게 많은 책들이 놓인 자리에서 우리는 각자 자기 손에 든 책에만 온 신경을 쏟느라 그곳에 함께 있는 사람들과는 대화도, 토론도, 그 어떤 기쁨도 나누지 못하고 있는 것만 같다. 어쩌면 책이란 이따금 아름다운 노랫소리가 들려올 때면 잠시 귀 기울여 듣다가 다시 펼쳐도 되는 물건이 아닐까? 그런 여유를 담는 공간이 도서관일 수는 없는 걸까?

꼬리에 꼬리를 무는 생각을 하다가도 그런 생각을 하게 만든 노랫소리를 떠올리면 이내 마음이 환해진다. 지금도 나는 알싸한 추위마저 물리쳐 줄 것만 같았던 그날의 온기가 그립다.

© 이유리

밴쿠버 공공도서관의 외관와 내부 통로. 건물을 가로지르는 내부 통로는 도서관의 작은 광장 기능을 하며, 음악회나 토론회 같은 작은 행사가 종종 열린다. 이곳을 설계한 건축가 모셰 사프디는 이후 미국의 솔트레이크시티 공공도서관도 설계했는데, 밴쿠버 공공도서관과 상당히 흡사한 분위기와 구조로 되어 있다. 밴쿠버에 거주하는 친구에게 솔트레이크시티 공공도서관을 찍은 사진을 보여 줬더니 자기네 도서관이라고 우길 정도로 말이다.

4
{ 놀랍고 무서운 사서의 힘 }

서울에서 수년째 조그만 텃밭을 가꾸고 있는 나는 몇몇 책들을 통해 샌프란시스코가 도시농업에 대해 오랜 고민을 해 온 도시라는 걸 잘 알고 있었다. 실상이 궁금했다. 때마침 샌프란시스코에 들를 일이 있어서 관계자들을 만나 이 도시에서 어떤 시도를 해 왔는지 구체적으로 들어 보고 싶었다. 물론 내가 떠올린 첫 번째 길잡이는 도서관이었다.

인터넷으로 검색해 보니 근방의 한 대학에 농업경제학 전문 도서관이 있었다. 나는 샌프란시스코에 가기전에 대뜸 문의 메일을 보냈다. 농업 용어가 익숙지 않아 사전을 찾아 가며 더듬더듬 질문들을 만들어 보냈다. 이틀 만에 돌아온 답변. 내 질문은 A4 용지 한 장이 넘지 않는 분량이었는데, 답변은 무려 세 배가 넘었다.

기나긴 답변 메일을 요약하자면 이렇다. 환대의 인사와 함께 내가 외국인이고 전공자가 아니니 전문 자료보다는 신문 기사나 가볍게 읽을 수 있는 자료들이 좋지 않겠느냐는 말로 이야기가 시작되었다. 그다음으로는 내 두루뭉술한 질문들에 대한 사서의 질문들이 이어졌다. 도시농업 중에서 구체적으로 어떤 것에 관심이 있는지에 대한 질문이었는데, 예를 들면 개괄적인 브리핑 자료가 필요한지, 도시농업에 대한 샌프란시스코시의 정책 자료가 필요한지, 아니면 실제 농장의 운영 사례 혹은 도시농업에 입문하기 위한 가이드 자료가 필요한지 등에 대한 것이었다. 내 구체적인 관심사와 도서관 방문 일정을 알려 주면 적절한 자료들을 갈무리해 두겠다고 했다. 마지막으로 샌프란시스코시와 각종 농장에서 만든 자료 링크 그리고 일반인도 신청하면 방문할 수 있는 농장들의 홈페이지 주소가 덧붙여져 있었다.

당해 봐서 아는데, 이 정도면 좀 무서운 마음까지 든다. 나는 이게 일반적인 미국 도서관 사서들이 제공하는 서비스인지 아니면 외국인이 그 도시의 무언가에 대해 질문했을 때 돌아온 호의인지를 가늠하기 어려웠다. 그걸 가늠할 경험치가 없는, 그저 그 도시에 잠시 체류하는 여행자일 뿐이었으니까.

답변 메일을 보낸 뒤 도서관을 찾았다. 베테랑 사서에게 정보를 얻으면서 나는 이 서비스가 나만을 위해 만들어진 것이 아님을 알 수 있었다. '샌프란시스코의 도시 농업'이라는 키워드 아래 이용자를 위한 자료들이 이미 갈무리되어 있었고, '나'라는 이용자를 위해 그것이 첨삭·보완되어 제공된 것이었다. 당해 봐서 아는데, 이들 자료가 이미 준비되어 있다는 데서 또 다른 무서운 마음이 밀려들었다.

며칠 후에는 샌프란시스코 공공도서관에서 열린 한 강연에 참석했다. 샌프란시스코 음식의 역사를 집필한 책의 필자가 나선 강연이었다. 샌프란시스코는 이주자들이 지속적으로 유입된 곳이다 보니 현지 음식도 이주자들의 먹거리의 영향을 받으며 발전해 왔다. 흥미진진한 강연을 마치면서 필자는 이런 말을 덧붙였다.

"전 샌프란시스코 공공도서관이 없었더라면 이 책을 못 썼을 거예요. 이 도서관은 심지어 주민들이 애용하던 식당의 메뉴판까지 모아 둔 데라니까요."

그러고는 이 강연을 기획하고 진행한 사서를 소개했다. 필자에게 이 책의 집필을 위해 식당 메뉴판까지 소개한 이가 바로 그분이었다. 다시금 무서운 마음이 물밀듯 밀려왔다.

각각의 이용자에게 적합한 자료를 조사한 후 제공하는 이곳 사서들의 저력이 꽤나 무서웠다. 영미권 책들의 '감사의 말'에 왜 그렇게 사서의 이름이 빠지지 않고 등장하는지 이유를 알 것만 같았다. 이 정도라면 공부

38 　 I　먼 곳으로 떠난 여행

할 맛이 나겠다는 생각도 들었다. 도서관에 진을 치고 있는 사서에게 SOS를 청하면 최소한 공부의 어떤 문턱까지는 넘어설 수 있지 않을까 싶었다.

우리 도서관에도 이런 알싸한 저력을 가진 사서들이 자리하고 있을까? 그들이 저력을 만들고 발휘할 수 있는 여건은 갖춰져 있는 걸까? 언젠가 그 저력을 우리 동네 도서관에서 맛보고 싶다. 그날이 몹시 기다려진다.

5
{ 사서의 가정통신문, 받아 본 적 있나요? }

미국에 사는 조카의 학교 도서관 사서 선생님은 종종 가정통신문을 보낸다. 예를 들면 이런 식이다.

"학생이 책을 제때 반납하지 않았습니다. 꼭 찾아 오라고 이야기했는데, 집에는 없었다고 합니다. 책을 반납하지 못할 경우 책값에 해당하는 돈을 보내 주세요."

이 가정통신문을 받은 날, 난리가 났다. 자기 책도 제대로 관리 못 하느냐는 아빠의 비난에 조카는 눈물을 글썽이며 다시 온 집 안을 뒤졌다. 결국 책은 찾지 못했고, 사서 선생님께 사과의 답신과 함께 돈을 보내야 했으며, 조카는 아빠로부터 용돈 삭감 통보를 받았다.

이 실랑이를 보면서 나는 좀 부러웠다. 고백하자면 나는 대한민국의 정규 교육을 받으면서 사서의 존재를 배워 본 적이 없다. 도서관 이용 교육도 받은 적이 없다.

물론 내가 정규 교육을 받은 지는 꽤 오래됐으니 지금은 어떨지 모르겠다. 초등학생 조카에게 물어보니 도서관이 어떤 곳이고 어떤 규칙들이 통용되며 어떻게 이용해야 하는지를 학교에서 배운다고 했다. 그 배움의 기회와 경험이 나는 부러웠다.

미국의 대학도서관에서 역사 전문 사서로 일한 적이 있는 선생님께 들은 에피소드를 하나 더 이야기해 보겠다. 그분은 대학에서 역사학과 전공 교수와 함께 수업을 진행한다고 했다. 첫 수업 시간에는 전공 교수가 수업 전체의 개요를 설명해 주고, 그다음 시간에는 사서 선생님이 들어가 이 수업을 위해 읽어야 할 자료를 소개하면서 이들 자료를 보유하고 있는 곳과 검색법을 알려준단다. 학생들이 학기 말에 제출할 과제를 준비할 때쯤 되면 도서관 앞에 부스를 만든 후 과제의 형식과 방향 설정에 문제가 없는지, 제대로 된 자료를 찾고 있는지도 상담해 준다고 했다. 전공 학문에 대한 공부를 시작하면서 자기 견해를 발표하는 글을 처음 쓰기 시작하는 학생들에게 이런 식의 조언이 가능하겠구나 싶었다. 나로선 누려 보지 못한 일이지만, 이야기를 듣는 것만으로도 가슴이 설렜다.

내 경험으로 미루어 본다면, 한국의 도서관에는 두 가지 기묘한 이미지가 겹쳐 있다. 하나는 독서실, 또 하나는 관공서. 고시 준비를 하는 이들의 공부방인 고시원이 갈 곳 없는 이들의 집이 되어 버린 한국에서 도서관이 독서실로 취급받는 건 극히 자연스러운 일일지도 모르겠다. 또한 대중을 위한 지식 보급이 사회적 의제로 부각되면서 탄력을 받아 지어진 북미나 유럽의 공공도서관과 달리, 일제강점기의 산물이자 국가기관의 성격을 띠며 건립된 한국의 공공도서관에서 관공서의 느낌을 받는 건 아직 잔존해 있는 과거의 그림자 때문일지도 모른다. 그래서 한국 사회에서 사서는 독서실 총무 혹은 관공서 공무원의 이미지로 비쳐지기도 한다.

도서관이 독서실도 아니고 관공서도 아니라면 대체 무엇일까? 어쩌면 지금 우리는 우리에게 도서관이 무엇이고, 앞으로의 도서관은 어떠해야 할지 질문하고 논의하면서 나름의 상을 찾아 가야 하는 게 아닐까? 그러자니 무수한 질문들이 머릿속을 맴돈다. 한국 사회는 과연 무언가를 배우려는 누군가에게 손 내밀고 끌어 주며 마음을 북돋워 주는 곳일까? 국민의 세금으로 그 '공짜' 기회를 누리게 할 만큼 우리는 누군가의 배움을 소중하게 여기면서 그 뒷감당을 하고 싶어 할까? 제 공부는 제 돈으로 하라는 치열한 경쟁의 논리가 우리 가운데 더 강하게 자리하고 있는 건 아닐까?

1970년대 노동운동의 불꽃으로 기억되는 전태일은 살아생전에 대학생 친구를 만드는 게 소원이었다고 한다. 살아 있는 전태일을 만났더라면 나는 좋은 대학생 친구가 될 수 있었을까? 개인적으로 내가 손 내밀어 줄 여력은 없었을지도 모른다. 그런데 전태일의 시대에 "그곳에 가 보세요"라고 말할 만한 도서관이 있었더라면 과연 어땠을까?

개인의 힘은 미약하지만, 제도의 힘은 종종 약한 개인의 힘을 넘어설 수 있다. 그리고 그런 제도, 즉 도서관을 만드는 것은 바로 우리 사회다. 어떻게 할 것인가? 선택은 우리 몫이다.

6
{ 여행지의 진짜 속살이 궁금하다면 }

미국의 동부에서 서부까지 80일간 자전거로 일주한 기록을 담은 『아메리카 자전거 여행』을 읽다 보면 도서관 이야기가 종종 등장한다. 40킬로그램의 짐을 자전거에 싣고 하루 평균 80킬로미터를 달리는 기나긴 여정에서 도서관은 여행자의 훌륭한 베이스캠프 역할을 한다. 생각해 보라. 남들 눈치 보지 않고 쉬면서 화장실도 마음대로 쓰고 인터넷도 사용할 수 있는 곳. 이 모든 게 무료인 데다가 동네 물정까지 파악할 수 있는 곳 중에 도서관만 한 데가 또 있을까?

외국에 나가서 도서관에 간다고 하면 많은 질문이 뒤따른다. 가장 흔한 질문은 이것이다. "놀러 가서까지 도서관에 갈 정도로 책을 좋아하시나요?" 나는 책 만드는 일을 하고 있고 책 읽기도 좋아한다. 하지만 여행 가서까지 책만 들여다보는 부류의 인간은 절대 아니다!

여행자로서의 나는 해외에 나가서 현지 정보를 '접수' 하러 도서관을 찾는 경우가 많다. 도서관에는 여행 책자나 인터넷 혹은 여행자를 위한 안내소에서는 얻기 힘든 여행지에 대한 개괄적인 기초 정보나 현지의 생생한 정보가 쏠쏠하게 있다.

예를 들면 일본의 미야자키 현립도서관에는 안내 데스크 바로 옆에 조그만 도시 안내 팸플릿이 비치되어 있다. 팸플릿은 이 도시의 인구는 얼마이며, 사람들은 어떤 일에 종사하고, 지역의 역사와 특징이 어떠한지를 글과 도표, 그림으로 소개한다. 미야자키로 이사 온 사람이나 이 도시에 대해 알고 싶어 하는 이들을 위해 제작한 듯한데, 나 같은 여행자가 도시의 개괄적인 윤곽을 파악하기에 손색없는 자료였다.

한편 캐나다의 밴쿠버 공공도서관에서는 산책하듯 도시를 둘러보려는 이들을 위해 각종 자료를 제공한다. 하나의 테마를 중심으로 살펴볼 수 있는 명소와 도심 지도를 소개하면서 함께 읽으면 좋을 책 목록까지 팸플릿으로 제작해 두었는데, 밴쿠버의 역사, 건축, 자연 등 다양한 테마로 제작된 이들 팸플릿은 무료로 배포된다.

이처럼 도서관에서 직접 제작한 자료만 있는 게 아니다. 각종 대자보를 비롯해 다양한 강연과 전시, 공연 등을 홍보하는 전단이 붙어 있던 한국의 대학도서관 앞 게

시판을 떠올려 보라. 해외의 공공도서관에는 지역에서 벌어지는 흥미진진한 행사 정보들이 소개되는 코너가 있다. 여기에서는 운이 좋으면 주민들의 최신 이슈를 파악할 수 있는, 지역 사람들이 만든 유인물이나 개성 넘치는 소책자도 '득템'할 수 있다.

나는 이들 정보를 활용해서 여행지에서의 시간을 어떻게 보낼지 결정하곤 한다. 어떤 날은 큰맘 먹고 극장에서 멋진 공연을 보기도 하지만, 또 어떤 날은 동네 주민들의 아마추어 전시를 보러 가기도 한다. 도서관의 각종 강의는 무료이고, 도서관에서 소개하는 지역 행사도 비교적 저렴해서 큰 부담이 없다. 낯선 곳에서 유명한 곳을 찾아다니기보다는 현지인의 삶을 살짝 들여다보길 원하는 이들에게 도서관은 유용한 팁의 천국이다.

언젠가 캐나다의 빅토리아 공공도서관에서 우연히 발견한 행사 하나는 별 기대 없이 들렀던 나를 정말 기분 좋게 해 주었다. 연말이면 열리는 동네 사람들의 팀별 노래자랑이었는데, 어린이부터 노인까지 다양한 이들이 신나게 노래를 겨루는, 오랜 역사를 자랑하는 지역 행사였다. 당시 1등은 「오 솔레 미오」를 아카펠라로 부른 동네 이탈리아 식당 직원들로 구성된 팀이었다. 이들은 수상 소감을 밝히면서, 이 대회에서 상을 타기 위해 직원을 채용할 때면 노래 잘하고 연습에 참여할 수 있는지를 꼭 묻는다고 이야기했다. 물론 농담 섞인 말이었다. 노래를 잘 못하는 나로선 절대 그 식당 직원이 되긴 어려울 것이다. 하지만 도서관에서 우연히 보게 된 포스터 한 장 덕분에 나는 이 행사를 위해 그만큼 공들이는 사람들이 1년 동안 모아 낸 열기를 느껴 볼 수 있었다.

이렇게 말하면, 자기도 외국 도서관에 가 봤는데 이런 경험은 못 해 봤다는 사람이 꼭 딴지를 건다. 나라고 항상 나에게 꼭 맞는 정보들만 얻어걸렸겠는가? 실제로 가 보고 실망한 경우도 꽤 있다. 하지만 우연한 행운에 마음 열어 놓을 준비가 된 사람이라면 한 번쯤 해 볼 만한 도전이다. 부디 눈 밝은 도서관 여행자에게 행운이 함께하기를!

7

{ **여행자인 듯 아닌 듯 책 사이를 걸어 다니다** }

석 달간 부모님과 함께 미국에 있는 동생 집에서 지낸 적이 있다. 석 달이란 기간은 여행자라기에도 거주자라기에도 살짝은 애매한 시간. 여행과 정착의 중간쯤 되는 마음으로 그곳에 머물렀다. 가족을 사랑할지언정 매 시간 한 공간에서 얼굴 맞부딪치며 사는 건 쉽지 않은 일. 그 복작복작한 시간이 힘겨워질까 두려워 오후에는 나 홀로 동네 도서관에 가곤 했다. 그곳이 나에게는 가족과 조금 거리를 둘 수 있는 일종의 쉼터였던 셈이다.

일주일에 네댓새씩 도서관 '죽순이' 노릇을 하다 보니 사서들이 나를 알아보기 시작했다. 마주치는 이용자들과도 종종 말을 섞게 됐다. 하루는 레바논에서 이민 온 지 1년도 안 된 초등학생 형제가 나에게 다가와 말을 걸었다. 아이팟을 동기화하고 싶은데 도서관 컴퓨터에서는 그게 안 됐던 모양이다. 사서 선생님이 아닌 나에게 말을 건 것은 때마침 내가 도서관에 들고 간 컴퓨터가 맥북이었기 때문이다.

우리 모두 영어가 서툴러 손짓 발짓 섞어 가며 킥킥거리며 이야기를 나눴고, 동기화를 해 줬더니 아이들은 무척 좋아하면서 계속 고맙다고 인사를 하고는 사라졌다. 그런데 잠시 후 형이 다시 나를 찾았다. 언어가 이상한 말, 즉 한글로 설정되어 있는데, 영어로 바꿔 달라는 주문이었다. 아하, 오케이! 도서관에서 종종 보자는 인사를 나누며 헤어졌는데, 도서관 문을 밀고 나갔던 동생 녀석이 되돌아와 나를 향해 달려오더니 풍선껌을 하나 주고 갔다. 풍선껌 씹으며 책 보는 기분, 참 좋았다.

그렇지만 그 도서관에서 가장 기억에 남는 사람은 뭐니 뭐니 해도 제프다. 그는 수업만 끝나면 득달같이 도서관으로 출근하다시피 하는 고등학생이었다. 사실 나는 제프와 말을 섞기 전부터 그를 알고 있었다. 얼굴의 깊은 화상 자국이 인상에 남았던 탓이다. 흉터에 눈길이 가는 건 어쩔 수 없었고, 그러다 보니 그가 어떤 서가를 기웃거리고 어떤 책을 보는지도 가끔 엿보게 됐다. 제프는 하드커버 고전 마니아였다. 도서관 한편에 자리한 하드커버들이 꽉 찬 서가가 그의 주요 출몰 지역이었다.

어느 날 도서관 밖 벤치에서 간식을 먹다가 제프와 이 야기를 나누게 되었다. 그는 원래 연극반에 들어가 배 우를 해 보고 싶었는데, 얼굴의 상처 때문에 절대 안 될 것 같아 좌절하며 방과 후마다 도서관을 찾는다고 했다. 그랬구나, 그랬구나. 나는 제프에게 배우가 되는 대신 연극 연출이나 연극학을 공부해 보면 어떻겠느냐는 조 언을 건넸다. 그리고 연극을 하고 싶다면 사람들과 어 울리고 함께 무언가를 만드는 법을 고민해 보라고 했다. 이 조언이 혹시 주제넘은 건 아니었을까?

나는 한국으로 돌아오기 전에 서점에 가서 책 한 권 을 구입해 제프에게 선물했다. 여러 책을 들었다 놨다 하면서 고심 끝에 고른 책은 아리스토텔레스의 『시학』 이었다. 연극을 공부하고 싶다면 거쳐야 할 기본서였기 때문이다. 제프는 이 책을 어떻게 읽었을까 가끔 궁금 해지곤 한다.

동네 도서관의 생일도 인상적이었다. 어느 날 도서관 에 가 보니 한쪽에 커다란 케이크와 차가 준비되어 있 었다. 풍선도 달려 있었다. 이 도서관의 열다섯 번째 생 일이라고 했다. 부지가 마련되고 기금을 모아 도서관이 건립된 과정 그리고 지난 15년간 도서관에서 벌인 다양 한 활동에 대한 사진들이 도서관 벽면을 채우고 있었다. 나는 사서 선생님이 나눠 주신 케이크를 받아 들고 활짝 웃으며 기념사진도 한 장 찍었다. 도서관의 열여섯 번째 생일날에는 내 모습이 찍힌 사진이 벽면에 장식되어 있을지도 모른다.

이 도서관에서의 기억을 떠올리면 꼭 생각나는 것은 도서관 문 닫을 시간이 다가오면 사서들이 돌아다니면서 이용자들에게 "10분 남았어요", "5분 남았어요"라고 이야기해 주던 목소리다. 이제 도서관 문 닫을 시간이니 짐을 챙겨 나갈 준비를 하라는 건데, 사서들은 환한 표정으로 이용자들과 눈을 맞추면서 이 말을 건넸다. 어린 시절 한창 밖에서 놀고 있는데 이제 저녁 먹을 때 됐으니 집에 들어가라고 넌지시 말해 주던 동네 아주머니들의 다정한 목소리와도 유사한 느낌이었다. 한국의 동네 도서관에서는 문 닫기 전에 음악과 방송이 나오던데, 그럴 때면 와락 그 도서관 사서들의 목소리가 그리워지곤 한다.

도서관은 책뿐만 아니라 책을 매개로 한 사람들이 만나는 곳이다. 그 만남은 때론 소소해 보이지만, 그 공간을 더욱 풍요롭게 만들기 위해서는 없어서는 안 될 중요한 것이다. 가끔은 조심스러운 마음과 호기심을 동시에 품고 도서관을 어슬렁거리는 이들에게 말 걸고 싶다. 삶이란 그렇게 소소한 것들이 켜켜이 쌓여 구성된다. 도서관에서의 시간도 그러할 것이다.

8
{ 기왕이면 예쁜 게 좋겠어 }

'도서관 여행'이라고 하면 사람들은 흔히 도서관 건축을 떠올린다. 동서양을 막론하고 과거에는 책이 귀했기 때문에 이를 보존하는 도서관 건축에도 많은 공을 들였다. 우리 문화유산으로 예를 들면, 팔만대장경을 보관해 온 해인사 장경판전은 지금으로 치면 중요 자료의 보존고일 것이다. 해인사의 아름다움은 따로 언급할 필요가 없을 만큼 잘 알려져 있지만, 햇빛, 온도, 습도, 환기 등을 스스로 조절하는 최고의 보존고로 장경판전이 손꼽히는 것 역시 눈여겨볼 만한 지점이다. 당대의 건축 기술을 총동원해 만든, 과학의 정수를 보여 주는 설계인 것이다. 또한 과거의 도서관들은 소중한 책의 가치를 건축을 통해 드러내 보여 주는 경우가 많았다. 지금처럼 누구나 돈만 있으면 책을 살 수 있는 시대가 아니었기에 더더욱 도서관이라는 공간의 의미는 남달랐을 것이다.

그에 비하면 현대의 도서관 건축에서는 책이 보편화되고 이용자가 확장되면서 공간의 편의성과 유용성이 중시되는 듯하다. 일반 시민이 이용하기에 쾌적하면서 이들이 배움을 추구하는 공간으로 도서관을 상정하고 있다고 볼 수 있다. 물론 현대의 최신 과학기술을 접목하고 동시대 문화의 풍요로움을 드러내면서도 과거에 못지않은 아름다운 도서관 역시 많지만 말이다.

그런데 도서관의 아름다움에 대해 논하자면 건축 외의 다양한 것들을 화두로 삼을 수 있다. 세계 유수의 도서관들은 자신의 정체성을 로고를 비롯한 상징물을 통해 표현하기도 한다. 뉴욕 공공도서관 앞에 늠름하게 서 있는 '인내'와 '불굴'이라는 이름이 붙은 두 사자상은 뉴욕을 대표하는 랜드마크로 자리 잡았다. 『섹스 앤 더 시티』에서 캐리와 빅이 결혼할 뻔했던 곳도 바로 이 사자상 앞이다. 뉴욕 공공도서관은 로고 또한 이 사자상을 빌려 와서 하나의 통합된 이미지로 도서관을 브랜딩하고 있다.

하지만 도서관 로고로 가장 많이 표현되는 이미지는 뭐니 뭐니 해도 책이다. 미국 의회도서관은 적극적으로 각종 책 관련 행사에 참여해 자신들의 서비스를 홍보하곤 하는데, 이 도서관의 로고 역시 책의 이미지를 형상

화한 것이다. 미국 의회도서관에서 발행하는 다양한 유인물에는 모두 일관되게 로고가 들어가 있어 얼핏 보더라도 발행처가 어디인지 금세 알아볼 수 있다.

물론 한국에도 자신만의 로고가 있는 도서관이 꽤 있다. 규모가 큰 도서관에서 로고를 만드는 경우가 많으며, 국립중앙도서관은 여타의 공공기관들과 함께 태극 문양을 로고로 사용하고 있다. 국가를 대표하는 기관의 로고를 통일한 것이긴 하지만, 도서관만의 특수성이 보이지 않아 다소 아쉽다.

국내에서 참신한 로고가 돋보이는 도서관은 서울도서관이다. 옛 서울시청 건물을 리모델링해 만든 이 도서관은 작은 책들로 건물의 형태를 형상화한 로고를 쓰고 있다. 유진웅 디자이너가 작업했는데, 도서관이라는 보편성과 함께 서울도서관의 특수성도 드러내 보여 주는 사례로 세계 유수의 도서관 로고와 견주어 봐도 손색이 없다.

그 밖에 내가 유심히 살펴보는 것은 도서관 대출카드 디자인이다. 지금은 도서관 애플리케이션이 대출카드와 혼용되고 있기 때문에 사용 빈도가 다소 줄긴 했지만, 그럼에도 도서관 대출카드는 내 지갑 속에 항상 들어 있는 중요한 카드 중 하나다. 무미건조한 신분증처럼 보여 화려한 디자인의 신용카드에 밀려 조용히 자리 잡고 있긴 하지만 말이다.

해외 도서관에 갈 때마다 대출카드를 만드는 나로서는 이게 항상 아쉽다. 한국의 도서관들에 하나의 팁을 드리자면, 북미의 경우 도서관 이용자들을 대상으로 대출카드 디자인 공모를 한 후 이를 선별해서 쓰기도 한다. 여러 종류의 디자인이 있어서 이용자가 원하는 대로 고를 수 있는 경우도 있다. 이런 시도는 한국의 도서관에서도 한번 해 볼 수 있지 않을까?

여기에서 더 나아가 세계 유수의 도서관들은 사람들이 도서관을 친근하게 여기고 방문을 기념할 수 있도록 다양한 굿즈들을 제작해 판매하기도 한다. 많은 미술관과 박물관에서 그곳에서 전시하는 작품들과 관련한 책을 판매하고 이를 이용한 일상용품을 제작해 판매하듯이 도서관 역시 그러한 작업을 하는 것이다. 도서관이라는 공간이 지역성과 결부되어 있다는 점을 염두에 두고 도서관 카페에서 지역 맥주를 판매하는 곳도 본 적이 있다. 2011년 1월 일본 도쿄에 건립된 '무사시노 플레이스' 1층 카페에서는 무사시노 맥주를 판매한다. 활력 넘치는 멋진 도서관을 둘러본 뒤 마시는 맥주 맛이 얼마나 기가 막힌지는 마셔 본 사람만 알 것이다.

모든 도서관이 브랜딩 작업까지 고민하기에는 어려움이 있을 수 있다. 하지만 분관의 형식으로 통합 관리되는 도서관이 여럿이거나 외부 작업을 많이 하는 도서관의 경우 브랜딩을 통해 도서관 이미지를 구축하는 것이 단순한 외적 치장이 아닌 효율성을 높이는 작업이 될 수 있다. 또한 많은 해외 도서관에서 이러한 작업을 하는 것은 도서관에 대한 이미지를 다시 생각하게 함으로써 이용자들에게 적극적으로 다가가기 위한 노력의 일환이다.

우리나라에서도 브랜딩 작업을 고민하는 도서관이 점차 늘고 있는데, 이런 고민들이 좀 더 확산되었으면 좋겠다. 이용자 입장에서는 보기에 좋은 떡이 먹기에도 좋은 법이니 말이다.

9
{ **'연회비'를 내라는 대학도서관에게** }

일본 삿포로에 놀러 가면 항상 홋카이도대학교 근방에 숙소를 잡는다. 일본은 유명 대학 캠퍼스도 단조로운 아파트식 건물들만 삐죽삐죽 있는 경우가 꽤 있는데, 홋카이도대학교는 지역의 명소이면서 관광 안내 책자에 소개될 정도로 캠퍼스가 아름답다. 정문에서 조금 걸어 들어가면 얕게 흐르는 개울 주변으로 녹지가 펼쳐져 있고, 농업학교로 출발한 곳이어서인지 아름드리나무도 가득하다. 메이지 시대 건물들이 꽤 남아 있어 고풍스러운 느낌도 자아내는 홋카이도대학교는 여행자의 아침 산책 코스로 딱 좋은 곳이다.

이곳에 처음 방문했던 날, 캠퍼스를 둘러보다가 도서관을 발견했다. 건물에서는 별다른 특색을 찾아볼 수 없었지만, 도서관이라니 한번 들어가 보고 싶었다. 하지만 입구에서 멈칫했다. 한국의 대학도서관은 외부인의 출입을 금지하는 곳이 많은데, 이곳 역시 그런 게 아닐까 하는 걱정 때문이었다. 일본어도 잘 못하는데 제지당하면 능숙하게 해명할 자신이 없었다. 한참을 망설이다가 용기를 내어 건물 안으로 들어섰다. 외국인이 뭘 모르고 들어온 거라 생각할 테니 큰 문제는 안 생기겠지 싶은 마음이었다.

책들이 소장된 2층에 올라갔는데, 아무도 나를 신경쓰지 않았다. 외부인의 출입이 가능한 곳이구나 하며 가슴을 쓸어내렸다. 도서관에 대한 각종 안내 유인물이 비치된 곳에서 두리번거리며 그것들을 살펴봤다. 바로 그때, 누군가 다가와 알아들을 수 없는 말을 걸어왔다. 어쩌지? 뭐가 문제일까? 새가슴 여행자의 마음이 쿵쿵거렸다. 더듬거리며 내가 한국에서 온 일본어 잘 못하는 여행자임을 밝혔다. 그는 어디론가 가더니 유인물 하나를 불쑥 내밀었다. 이럴 수가, 그것은 한국어로 된 도서관 이용 안내문이었다!

그는 도서관에서 아르바이트를 하는 학생이었는데, 나에게 도서관 이용증을 발급받겠느냐고 물었다. 한글 안내문을 살펴보니 나 같은 여행자에게도 이용증을 발급한 후 책을 대출해 주고 있었다. 그러겠다고 했더니 그가 종이 한 장을 내밀었다. 나는 일어와 영어가 병기되어 있는 질문지에 무사히 내 정보들을 기입했고, 그 자리에서 이용증을 발급받았다. 그렇게 나는 홋카이도 대학교 도서관 이용증을 가진 여행자가 되었다. 이들은 과연 무얼 믿고 나 같은 여행자에게까지 이용증을 발급해 준 걸까?

그러고 보면 도서관은 참 신기한 곳이다. 도서관으로선 자료 미반납자에 대한 대책을 나름 고심하겠지만, 그럼에도 그곳은 책을 빌려주더라도 돌려받을 수 있으리라는 신뢰를 바탕으로 하는 공간이다. 또한 책을 필요로 하는 사람과 공유하려는 태도 역시 기저에 깔려 있다. 즉 도서관은 사회 구성원에 대한 믿음 그리고 책이 이들을 성장시키리라는 기대를 동시에 품고 있는 곳이다.

이런 맥락에서 보자면 한국의 대학도서관들은 자신이 서비스하는 사회 구성원의 범주를 계속 좁혀 가고 있는 듯하다. 언젠가부터 재학생과 교수, 교직원만 대학도서관 문턱을 넘나들 수 있고, 졸업생에게는 차후에 돌려받을 수 있는 예치금을 받고 도서관을 이용하도록 정책을 바꿔 나갔다. 그리고 이제는 졸업생들에게 연회비를 요구하는 세태까지 생겨났다. 일각에서는 전세에서 월세로 바뀐 거냐는 비아냥거림도 들려온다.

지역 주민에게 도서관을 개방하는 대학들이 한국에도 있지만, 그 수는 아직 많지 않다. 열악한 대학도서관을 이용하는 대학생들은 이렇게 말할지도 모른다.

"우리가 쓰기에도 좁은 도서관을 왜 등록금도 안 내는 다른 사람들과 함께 써야 해요?"

사서들은 이렇게 말할지도 모르겠다.

"외부인에게 서비스하기에는 인력도 예산도 너무 부족해요."

이런 목소리는 어찌 보면 우리 대학도서관의 현실을 반영하는 것이다. 하지만 소유를 넘어서서 공유를 통해 성장할 수 있다는 도서관의 정신은 지금의 현실적 장벽을 넘어서지 못한 채 한계 지어져야 하는 것일까? 모교 도서관 이용증은 연회비 내고 만들어야 하지만 홋카이도대학교 도서관 이용증은 무료로 만든 일개 시민으로서 더더욱 생각이 많아지는 건 어쩔 수 없다. 우리에게는 아직 좀 더 많은 논의가 필요하다.

10
{ 도서관을 성장시키는 일상의 소소한 노력 }

　도서관 관계자들과 함께 도쿄 도서관 여행을 다녀왔다. 모두 도서관 전문가들이었던 데 반해 나만이 일반 이용자였지만, 그래도 내가 나름 도서관 덕후인 셈이니 도서관 이야기로 하루 종일 이야기꽃을 피웠던 여행이었다. 8박 9일 동안 총 열세 곳의 도서관을 둘러보았는데, 그중 인상 깊었던 공공도서관 두 곳에 대한 이야기를 해 보고 싶다.

　관공서가 밀집해 있는 도쿄의 중심부, 히비야공원 안에 있는 히비야도서문화관은 1908년 개관한 이래 일본 도서관의 역사를 고스란히 품고 있는 곳이다. 간토대지진을 겪기도 했고, 제2차 세계대전 때 공습으로 건물이 전소된 적도 있다. 현재의 도서관은 독특한 삼각형 건물로 2011년 재개관한 것인데, 전통적인 일본 종이와

히비야도서문화관의 외관과 내부. 내
부의 자동 책 대출기 뒤로 일본식 창
문이 보이고, 그 너머로는 신록의 풍
경이 펼쳐진다.

창틀로 장식된 창문에서 과거를 이어 오고 있다는 느낌이 고스란히 전해졌다.

그런데 재개관과 함께 이 도서관은 새로운 도시형 공공도서관 모델을 구현하려 하고 있었다. 도쿄 중심부라는 지역 특성을 고려해 비즈니스 지원 서비스를 특화해 제공하며, 역사와 문화를 품은 '박물관'의 기능, 강좌나 이벤트 등 '대학'의 기능까지 함께 수행하고 있었다. 4층 특별연구실에는 메이지·다이쇼 시대의 고서들이 가득 들어차 있고, 1층과 지하에는 카페와 레스토랑, 서점 등도 있어서 시민들에게 다채로운 읽을거리, 볼거리, 즐길거리를 한꺼번에 제공하고 있는 듯했다. 어떻게 이런 다채로운 서비스를 시도할 수 있었을까?

일본에서는 2003년 이후 도서관, 병원, 복지 시설 등에서 지정관리자 제도가 실시되었다. '작은 정부'를 표방하면서 기존에 공공 영역이 맡아 왔던 것을 민간에 위탁할 수 있는 길을 연 것이다. 한국에도 잘 알려져 있는 츠타야가 운영을 맡아 유명해진 다케오 시립도서관 역시 이 지정관리자 제도 덕분에 새로운 시도를 할 수 있었다. 도쿄의 도서관을 둘러보면서 나는 곳곳에 다양한 방식으로 민간 기업이 들어와 있다는 느낌을 여실히 받았다.

히비야도서문화관의 경우 외부 기업의 유입을 통해 기존 도서관 범주에서 벗어난 역할을 하나씩 시도해 나가고 있었다. 그 덕분에 이용자들이 이전과는 다른 서비스들을 향유할 수 있었다. 여기서의 핵심은 공공 부문과 민간단체 등 여러 운영 주체가 자신의 전문 분야와 관련해 좋은 서비스를 제공할 방법을 찾으면서, 동시에 이들 간의 협업을 원활하게 만드는 시스템을 어떻게 꾸릴 수 있느냐에 달린 듯했다.

너무 긍정적인 면모만 이야기한 것 같은데, 사실 여행에서 돌아온 뒤 이 지정관리자 제도의 폐해로 인한 파업 소식을 들을 수 있었다. 도쿄의 네리마 구립도서관 사서 노조가 민간 위탁을 통한 비용 절감과 책임 회피를 문제 삼으며 파업을 벌인 것이다. 이 갈등의 양상은 몇몇 생각의 실마리를 제공한다. 도서관들이 기존의 서비스에 비해 좀 더 확장된 서비스를 준비하면서 벌어진 일인데, 이러한 것들이 과연 어떤 사회적 토대와 조건을 만들면서 나아가야 하는지 고려되어야 하는 것이다.

그다음으로 소개할 도서관은 『우라야스 도서관 이야기』라는 책으로 한국에도 널리 알려진 우라야스 시립 중앙도서관이다. 우라야스는 도쿄 외곽의 어촌 지역을 매립해 만든 신도시로, 시민들의 적극적인 이해와 요구를 받아안아 혁신적인 도서관을 만들어 냈다. 나 역시 도서관 문제에 처음 관심을 가졌던 시절 감동적으로 그 사례를 보았던 기억이 있는데, 이곳을 직접 방문한다는 생각에 무척 설렜다. 하지만 한편으로는 개관한 지 35년이나 된 도서관이기에 쇠락해 가고 있으면 어쩌나 하는 걱정도 들었다.

　그러나 기우였다. 도서관 문을 열고 들어가서 조금만 둘러봐도 느껴졌다. 이 도서관이 얼마나 활기 넘치는지, 이용자에게 얼마나 다정하고 친근한 공간인지, 사서들이 얼마나 윤기를 내 왔는지 말이다. 지은 지 오래된 건물이었지만, 도서관은 온기를 품은 채 반짝반짝 빛나고 있었다. 하나하나가 엄청나게 새롭진 않은데 그 모든 것이 단단하게 꽉 자리를 채우고 있는 곳. 도쿄 도서관 여행에서 둘러본 모든 도서관 가운데서 우리 동네에 가장 옮겨 놓고 싶은 도서관이 바로 이곳이었다. 과거의 빛나는 이력을 갈고닦으며 켜켜이 이어 오고 있구나 싶어 이런 도서관을 유지하는 힘이 몹시 부러웠다.

　도서관이란 단지 건물과 장서만으로 유지되는 것이 아니다. 지속적인 관리 속에서 사람들의 삶 속에 자리 잡고 성장해 간다. 예쁜 화초를 하나 심었다면 물과 비료를 주면서 그것을 가꾸어야 올해뿐만 아니라 내년에도 꽃을 피우며 커 나가는 것과 마찬가지다. 우라야스 시립중앙도서관이 나에게 보여 준 것은 바로 이 점이다. 일상의 노력이 있어야만 도서관은 유지되고 발전한다. 그것이 나는 부러울 따름이다.

11
{ 새로운 공간이 품은 따뜻한 역사의 흔적 }

내 것이 아닌 책을 읽고 돌려줄 수 있다는 걸 처음 알게 된 건 초등학교 시절 학급문고를 통해서였다. 선생님 책상 옆 책장에는 반 친구들이 집에서 한 권씩 가져온 책들이 꽂혀 있었는데, 그 책장에서 야금야금 책을 꺼내 읽는 재미가 쏠쏠했다. 학급문고가 나에게 특별했던 건 책을 빌려 읽을 수 있어서이기도 했지만 평소의 내 취향으로는 결코 들여다보지 않았을 책들을 눈여겨보게 되었기 때문이다. 내 책 읽기의 경험이 사적인 것에서 공공의 영역으로 확장된 첫 기억이다.

그 후 학교 도서관을 이용하면서 책에 대한 목마름은 어느 정도 해갈하고 살았는데, 학교를 나와 취직이란 걸 했더니 난감하기 짝이 없었다. 1990년대 후반이어서 지금과는 사뭇 상황이 달랐는데, 동네 도서관에는 장서가 너무 적었고, 운영 시간도 평일 낮과 토요일 오전에 한정되어 있었다. 회사에 다니면서는 도서관을 이용하기 힘들었고, 가더라도 읽고 싶은 책이 없어 발길을 돌리기 일쑤였다. 나는 돈을 많이 벌어서 책을 쟁여 놓고 살아야겠다고 생각했다. 아마도 내 또래의 책을 좋아하는 사람들은 나와 비슷한 경험을 갖고 있지 않을까?

당시의 도서관은 독서가들에게 최적의 서비스를 제공해 주는 곳은 아니었다. 책 좋아하는 사람들이 의외로 도서관 문제에 다소 무심해 보이는 건 아마도 그런 경험 때문일 것이다. 내가 당시에 처음 해외 도서관에 가서 여러 서비스에 깜짝 놀라 문화적 충격을 받고 도서관 문제에 관심을 갖게 된 것은 사실 이런 격차 때문이기도 했다.

하지만 오랜 기간 도서관에 관심을 갖고 지켜봐 온 사람으로서 말하자면, 한국의 공공도서관은 그간 꽤 많이 성장해 왔다. 도서관의 책들을 이용자들이 자유롭게 둘러볼 수 있는 개가제가 자리 잡은지라 일일이 청구기호를 적어 데스크에 제출해야만 책을 대출해 주는 폐가제는 특수한 몇몇 도서관을 제외하곤 거의 남아 있지 않다. "오겡키데스카"おげんきですか라는 여주인공의 대사로 유명한 영화 『러브레터』를 요즘 학생들이 본다면 동명이인의 이름이 적힌 대출카드에서 비롯된 에피소드를 이해할 수 있을까? 모든 게 바코드로 해결되는 도서관을 이용해 왔을 텐데 말이다.

　종종 친구들에게 도서관에 책이 없어 답답하다는 말을 들으면 나는 그것도 몰랐느냐는 식으로 어깨를 으쓱하며 국립중앙도서관의 '책바다' 서비스를 소개해 준다. 전국 도서관에 있는 책들을 찾아 대출해 주는 서비스인데, 특히 절판본을 구해 읽고 싶을 때 유용하다. 아쉽게도 공짜는 아니다. 지역에 따라 비율의 차이가 있는데, 지자체와 이용자가 택배비를 나누어 부담한다. 어떤 경우는 협정을 맺은 도서관끼리 무료로 책을 대출해 준다. 이제 동네 도서관에 책이 없더라도 주변 도서관에서 책을 빌려 볼 수 있는 시스템이 어느 정도 구축된 것이다.

　도서관 내 프로그램도 활성화되고 있다. 지역별 특색을 찾기가 쉽지 않은 점이 아쉽긴 하지만, 도서관은 다채로운 방식으로 이용자들에게 다가가고 있다. 운영 시간은 어떤 경우엔 외국 도서관들보다 길어서 가끔은 사서의 노동 환경이 걱정될 정도다. 한국의 도서관은 빠르게 성장하며 시대에 대처해 오고 있다. 물론 아쉬움도 아직은 남아 있지만 말이다.

　그런데 이 시점에서는 또 다른 고민이 밀려든다. 각각의 도서관들은 그간의 이러한 변화를 기록으로 남겨 두고 있을까? 몇몇 자료가 보이긴 하지만, 그것들은 대개 도서관 관계자를 위한 것인 듯하다.

　언젠가 샌프란시스코 공공도서관에 들렀을 때, 건물

벽면을 장식하고 있던 도서 목록 카드index card들이 눈에 들어왔다. 도서 전산화가 진행되면서 책의 청구기호가 적힌 카드는 어느새 과거의 유물이 되었다. 그런데 이 도서관 이용자 중 몇몇이 이 유물이 사라지는 것에 반대하는 목소리를 냈고, 그 결과 도서 목록 카드가 도서관의 벽면 곳곳을 장식하게 되었다. 인테리어로도 좋았지만, 추억에 그쳤을 과거를 그렇게 현재화했다는 게 상당히 인상적이었다.

역사란 기억하고 기록하는 자의 것이다. 기억과 기록을 통해 우리는 지금을 과거와 견주어 보고 미래로 나아갈 수 있다는 희망을 품을 수 있다. 한국의 도서관에서도 그런 역사를 기록한 창의적인 흔적을 더 많이 발견하고 싶다.

12
{ 소수자에게 한 발짝 다가간 서가 }

언젠가부터 여행 중에 다 읽은 책을 그 도시의 도서관에 기증하고 있다. 무거운 짐이 되는 책을 덜어 낼 수 있고, 책을 기증하면서 사서 선생님과 이런저런 이야기도 나눌 수 있으니 일석이조인 셈이다. 여행지의 도서관을 이용하는 한국어 구사자들에게 일종의 선물이 될 것 같기도 하고 말이다.

해외 도서관에 꽂혀 있는 한국어 책을 발견하면 반갑기 이를 데 없다. 게다가 그곳에서 내가 만든 책이 눈에 들어올 때면, 지나가는 사람을 붙잡고 "이 책, 제가 만들었어요!" 하고 말하고 싶은 심정이 된다. 북미 대도시의 본관 도서관●에는 어린이용부터 성인용까지 한국어

● 북미와 유럽 도서관의 경우, 지역의 여러 도서관들을 통합해 운영하는 시스템을 갖추고 있다. 예를 들면 캐나다의 벤쿠버 지역에는 1개의 본관(main) 도서관(벤쿠버 공공도서관)과 21개의 분관(branch) 도서관이 있다. 분관이라고 하지만 실제로는 우리의 공공도서관과 큰 차이가 없는 규모인 경우가 많

로 된 책들이 서가를 차지하고 있는 경우가 꽤 있다. 일본의 경우는 좀 덜하지만, 도쿄의 국제어린이도서관처럼 다양한 국가의 문화를 소개하는 도서관에서도 한국어 책을 여럿 볼 수 있다.

다양한 언어권 사람들이 이용하는 도서관에서는 다국어 서비스도 남다르다. 밴쿠버 공공도서관은 도서관 안내 책자를 비롯해 홈페이지에서도 한국어, 일본어, 중국어, 에스파냐어, 프랑스어, 베트남어, 힌디어로 된 도서관 소개를 제공하고 있다.

한번은 이 도서관에서 재미난 행사에 참여한 적이 있다. 어린이들에게 다양한 언어와 문화를 체험하게 하는 행사였는데, 여러 언어를 구사하는 성인들이 마치 휴먼 라이브러리●에서의 '사람책'처럼 도서관 야외에 앉아 있었고, 아이들이 커다란 이름표를 들고 가서 자기 이름을 말해 주면 그분들은 각 나라의 말로 아이의 이름을 적어 주었다. 도서관을 지나다가 구경을 하던 나도 불쑥 줄을 서서 이름표를 받아 들고 행사에 참여했고, 그 이름표는 여전히 내 서랍 속에 고이 보관되어 있다. 낯선 문화를 편안하고 친근하게 받아들일 수 있는 교육으로서 이런 행사는 충분히 재미있으면서도 뜻깊어 보였다.

고, 도서관의 가용 자원을 지역적으로, 효율적으로 분배해 도시 전체에 서비스를 제공하는 시스템이라고 이해하면 된다.
● 특정 지식을 가진 사람이 스스로 책이 되어 독자와 일대일로 만나 정보를 전해 주게 하는 도서관 행사.

다국어 서비스는 한국 도서관에서도 시도되고 있는데, 자랑을 하나 하자면 우리 동네 도서관에도 영어, 중국어, 베트남어 등 다양한 언어로 된 도서가 참고자료실의 목 좋은 곳에 비치되어 있다. 수년 전 그 책들이 도서관 서가로 들어왔을 때 나는 마음속으로 쾌재를 불렀다. 그 책들을 내가 대출할 일은 없겠지만, 드디어 내가 이용하는 도서관이 우리 동네의 소수자들에게도 한 발짝 다가서는구나 싶어서였다. 사서 선생님께 여쭤 보니 지역에서 이 도서들을 실제로 대출할 여지가 있는 이들이 있는 단체나 모임을 직접 찾아가 홍보하는 등 꾸준한 노력을 하고 계셨다.

　도서관이 국가 공용어 외에 다양한 언어로 서비스를 제공하는 것은 그 도서관을 이용하는 소수의 이용자에게 다가가려는 노력 중 하나다. 100명 중 99명을 위해서만 서비스하는 게 아니라 1명을 위해서도 접근성을 높이고자 하는 게 어쩌면 도서관이 추구하는 공공성일 것이다. 99명을 위해서도 할 일이 많은데 1명까지 챙겨야 하느냐는 배제의 논리가 아니라 1명까지 함께할 수 있게 만드는 화합의 논리가 바로 도서관이 추구하는 평등과 맞닿아 있다. 나는 이 1명을 버리지 않으려는, 도서관이 품고 있는 가치가 좋다. 그것이야말로 내가 생각하는 모두 함께 잘 사는 길이기도 하니까.

13
{ 도서관에 드나들다 그것을 만들어 버린 사람 }

미국의 문화인류학자 게일 루빈이 쓴 『일탈』이라는 책을 재미있게 읽었다. 이 책은 그가 40여 년에 걸쳐 연구한 페미니즘, 섹슈얼리티, 도시인류학, 퀴어 관련 논문들 중 고갱이를 엮어 펴낸 선집인데, 한국어판은 900쪽이 넘는 '베개 책'이다. 베개 삼아도 좋을 만큼 두꺼운 책이라는 뜻이다. 내가 다른 이들에게 이 책을 권할 때면, 그의 학술적 생애사와 연구 궤적을 그려 낸 서론을 먼저 읽어 보라고 추천한다. 이 글은 인종차별이 심했던 미국 남부의 사우스캐롤라이나에서 보낸 청소년기의 기억, 베트남 반전운동이 일어났던 1960년대에 미시간대학교에 입학하여 조금씩 정치적 각성을 해 나가며 제2의 물결 페미니즘과 동성애 운동을 만나 가는 과정, 이후 퀴어 연구자로서 다양한 연구를 시도해 가는 궤적을 그려 낸 에세이다. 『일탈』이라는 연구서에서 가장 편히 읽을 수 있는 글이기도 하다.

이 글에서 게일 루빈은 도서관에서 얼마나 많은 시간을 보냈고, 또 그곳에 얼마나 신세를 졌는지를 묘사한다. 그가 동성애 연구를 시작한 1970년대에는 아직 이에 대한 사회적 인식이나 학계의 연구가 일천한 상황이었고, 많은 도서관들이 동성애 관련 자료들을 소장 가치가 없는 것으로 여겼다. 그럼에도 몇몇 도서관에서 그 누군가는 부족하나마 그런 자료들을 모으고 관리하고 있었다. 루빈의 모교인 미시간대학교의 도서관 역시 대안적 섹슈얼리티와 성 해방 관련 자료의 컬렉션이 있던 곳이었다. 그가 이곳에 드나드는 것은 자명한 일. 그의 도서관 순례는 여기에서 그치지 않는다. 더 많은 다양한 자료를 찾아 루빈은 프랑스 국립도서관 보존서고까지 찾아가기도 한다.

여기서 그쳤다면 연구자들이 사서에게 감사의 말을 전하곤 하는 데서 조금쯤 더 나아간 묘사로 여겼을 것이다. 그가 미개척 연구 분야에 뛰어들어 여러 도서관을 찾아다녀야 했던 데서 알 수 있듯이, 퀴어와 관련한 1차 문헌들을 집대성해 놓은 도서관이나 문서 보관소가 없다는 것은 문제적 상황이었다. 다른 학문의 연구자들은 남들이 축적해 놓고 관리하는 문헌에 기댈 수 있었던 반면, 새로이 태동하는 연구 영역을 만들고 개척해 가는 이들에게는 그럴 수 있는 곳이 부족했던 것이다.

　　결과적으로 나는 내게 필요한 자료와 내가 관련을 맺고 있는 커뮤니티 학술제도에 필요한 자료 모두를 수집하고 집적하고 보존하고 그것에 접근하기 위해 30년에 걸쳐 노력해 왔다. 그로 인해 정보를 확보하려면 하부 구조가 필요하다는 것을 배우게 되었다. 말하자면 직원, 보관소, 그들을 고용하기 위한 자금의 흐름과 같은 물질적 하부 구조가 요구된다는 사실 말이다.
　　─『일탈』(현실문화, 2015) 72쪽

　　도서관 덕후 입장에서 보자면 루빈은 문서 보관소, 달리 말하면 작지만 새로운 도서관을 만드는 데까지 나아간 사람이다. 학문적으로 과거의 전통이 있는 경우, 기존에 축적된 자료를 바탕으로 '계보학'의 관점에서 학맥을 이어 나갈 수 있다. 하지만 새로운 영역을 개척해야 하는 경우, 그러니까 루빈의 경우는 흩어진 자료를 찾고 모으는 일까지 겸해야만 앞으로 나아갈 수 있었다. 그가 자기 학문의 궤적을 '계보학'이 아닌 '지질학'으로 부르는 이유는 이 때문이다. 하나하나의 자료를 발굴하여 검토해서 새로운 영역의 연구를 해 나가는 것을 지층의 결 하나하나를 탐색하며 나아가는 지질학에 비유한 것이다.

정보와 자료가 새로이 요구되는 시대일수록 이러한 작업은 계속되어야 한다. 내부적으로는 도서관이 보유하고 있는 자료를 조직해서 새로운 씨줄과 날줄로 엮어내는 작업을 해야 하고, 외부적으로는 도서관 밖에서 생산된 다양한 정보와 자료를 발 빠르게 도서관 안으로 들여 올 수 있어야 한다.

몇 년 전부터 한국에서는 독립출판이 유행하며 수많은 출판물이 쏟아져 나오고 있다. 출판 과정이 간소화되면서 일반인도 자신만의 책을 만들 수 있는 여지가 늘어났고, 이를 유통하는 플랫폼들이 등장하면서 대중과의 접점도 점차 늘어난 것이다. 이에 대해 도서관은 어떻게 대처하고 있을까?

미국의 솔트레이크시티 공공도서관은 도서관 서가 한쪽에 독립출판물들을 갖춰 놓고 있다. 지역에서 만들어진, 하지만 공식적인 ISBN을 부여받지 못한 책자를 도서관에서 수집·보존하는 작업을 하고 있는 것이다. 한국에서도 독립출판물이 판매 후 절판되는 사례가 늘고 있었는데, 2019년 3월 '서울 유일의 독립출판물 도서관'을 표방하는 '서울책보고'가 개관했다. 독립출판물 열람 공간을 신설한 것은 상당히 반길 일이다. 그 낱권의 책들은 한때의 유행으로 사람들의 머릿속에 기억되겠지만, 그것을 갈무리하지 않으면 이는 우리의 자산으로 남는 게 아니라 산산이 휘발되어 버릴 수 있다. 그런 측면에서 게일 루빈 같은 시도를 하는 이들이 더욱 늘어나야 하고, 이것이 도서관 안으로 들어갈 수 있는 길을 고민해야 한다. 새로움에 대한 대응은 언제나 힘겹지만, 도서관이 이 시도를 포기하지 않기를 바란다.

14
{ 어쩐지 마음이 끌리는 푸근한 곳이 있다 }

잠시 일본에 출장을 다녀왔다. 여행이었다면 계획을 세워 도서관도 몇 곳 들렀겠지만, 개인 시간을 내기 어려운 출장이었던 데다가 출장 전에 정신이 없어서 도서관을 고민할 여력이 없었다. 하지만 정작 도착하고 나니 빡빡한 일정 가운데서도 잠시 예상치 못했던 도서관 여행을 할 쯤이 생겼다.

그렇다. 이 세상에는 유명짜한 도서관 외에도 수많은 도서관이 곳곳에 있다는 게 도서관 여행의 장점일지도 모른다. 어디를 가든 지역 지도를 펼쳐 들면 그 근방에 도서관이 하나쯤은 있기 때문이다.

일본에 도착한 첫날, 비행기가 연착된 탓에 그나마 있던 자유 시간이 사라졌다. 호텔을 못 찾아 낑낑 캐리어를 끌며 길을 헤맸다. 간신히 찾아든 호텔 방에 몸을 누이니 피곤이 몰려들었다. 호텔에서 나눠 준 지역 지도를 잠깐 펼쳐 봤는데, 근방의 도서관 하나가 눈에 들어왔다. 다음 날 아침을 서둘러 먹는다면 잠시 그곳에 들를 수 있을 것 같았다.

도쿄 교외의 조그만 소도시 가마쿠라시에 있는 오후나도서관에는 그렇게 들르게 되었다. 오후나는 4만 2,000명가량의 주민이 살고 있는 작은 도시다. 이 규모의 도시가 대개 그러하듯 기차역을 중심으로 번화가가 형성되어 있고, 그곳을 조금만 벗어나면 소박한 거리들이 이어진다. 오후나도서관은 오후나 역에서 도보로 5분 거리에 있는데, 30~40평 크기의 작은 도서관이었다. 주민센터 건물 2층에 있는 데다가 기차역과도 가까우니 이 지역에서는 자주 이용되는 도서관일 것이다.

도서관 덕후답게 레이더를 가동해 도서관을 훑어보았다. 딱히 눈에 띄는 게 없었다. 입구에는 이런저런 문화 행사 포스터들이 붙어 있고 전단지도 비치되어 있었다. 잡지 코너 근방에는 눈이 침침한 분들을 위한 돋보기가 몇 개 있었고, 어르신들 몇몇이 신문을 보고 계셨다. 사서들은 작업복 같은 앞치마를 두르고 조용히 일을 하고 있었다. 일반 서가도 어린이용 서가도 특별한 건 없었다.

나는 도서관에 가면 핸드폰으로 사진을 찍어 둔다. 멋진 광경을 찍는다기보다는 방문 기록 차원에서 사진을 찍는 편이다. 즉 그 도서관의 특이점을 사진으로 기록해 두는 것이다. 내부 촬영이 금지된 곳이 있으므로 반드시 사전에 확인해야 하고, 사진을 찍더라도 가능한 한 이용자를 찍지 않으려 신경을 쓴다. 하지만 이날은 호주머니에 들어 있던 핸드폰을 꺼내지 않았다. 딱히 무엇 하나 기록할 게 없었다.

도서관에 그리 오래 있진 않았다. 아침에 동네 산책을 한 셈 치면 되는 정도의 시간이었다. 그리고 그날은 종일 바빴다. 정신없이 일정을 소화한 후 한밤중이 되었는데, 그날은 잠시 멋진 바다도 보았고 맛있는 음식도 먹었건만 이상하게 오후나도서관이 떠올랐다. 왜 그랬을까?

이 도서관은 사람으로 치자면 출중한 외모도 아니고, 젊은 나이도 아니고, 두드러진 능력도 없는 이 같아 보였다. 그렇지만 묵묵히 자기 일을 열심히 하면서 사랑을 받는 사람에게서 엿볼 수 있는 온기가 느껴졌달까. 가구로 친다면 작고 낡아서 눈에 띄진 않지만 오랫동안 아끼며 써서 잘 길들여진 의자 같았다. 누구나 가끔 엉덩이 붙이고 앉아 쉬어도 되는 의자 같은 느낌.

캐나다의 로키산맥을 여행하다가도 그런 도서관을 발견한 적이 있다. 로키 여행의 중심 도시 중 하나인 벤프의 벤프 공공도서관이 그러한 곳이었다. 그리 많지 않은 장서, 투박한 서가가 있는 동네 도서관이었다. 그래도 이곳에서는 사진을 한 장 찍었다. 1940년대 후반에 이 작고 평범한 도서관 하나를 만들기 위해 동네 주민들이 도심 중심가에 모여 피켓을 들고 시위하는 사진이었다. 로키산맥을 여행하는 수많은 관광객은 무심코 지나치겠지만, 그렇고 그런 벤프 공공도서관이 동네 사람들에게만큼은 소중하게 쟁취하고 가꿔 온 곳임을 증명하는 사진이었다.

누군가 오후나나 벤프를 방문하더라도 이들 도서관에 꼭 가 봐야 한다고 말할 생각은 없다. 그렇게 말했다간 이후 실망했다는 반응만 돌아올 것 같으니까. 그렇지만 아직도 궁금하다. 이 평범한 도서관들이 어떻게 이런 안온한 온기를 품게 된 것일까? 다음에 다시 이곳들을 방문한다면 꼭 다시 한 번 도서관 의자에 걸터앉아 그 이유를 생각해 봐야겠다.

15
{ **읽는 사람을 응원하고 환대하는 동네 도서관** }

책이란 어찌 보면 내가 발 디뎌 보지 못한 세계에 대한 탐험이자 여행일지 모른다. 그런 생각을 품고 도서관 서가를 어슬렁거리다 보면 수많은 여행지 가운데 어떤 곳을 찾아갈지 고민하는 여행자가 된 것 같은 기분이 든다. 실제 여행과는 다르겠지만, 내 현실적 한계를 그런 식으로나마 뛰어넘어 보는 건 분명 가슴 설레는 일이다.

도서관 여행을 떠나고 싶지만 여건이 안 될 때면 펼쳐 드는 책이 있다. 미국의 사진가 로버트 도슨이 1994년부터 18년간 수백 개에 달하는 미국의 도서관 사진을 찍는 프로젝트를 진행한 후 펴낸 『공공도서관』이다. 나는 미국의 한 도서관에서 이 책을 발견한 뒤 원서를 구입해 읽었다. 2015년에 한국어판이 출간되자 반갑고 기

뿐 마음으로 그 책도 구입했다.

도서관에 대한 책은 많고도 많다. 특히 건축과 관련해 전 세계 유수의 도서관 사진이 호화찬란하게 펼쳐져 있는 책도 많이 출간됐다. 하지만 나는 그런 책들보다는 이 책에 훨씬 정이 간다. 이 책은 주목할 만한 화려한 도서관만큼이나 동네에 남아 있는 소박하거나 생각해 볼 만한 도서관의 모습과 이야기를 담고 있기 때문이다. 많은 여행객이 들르는 관광 명소에서 찍은 사진뿐만 아니라 평범한 거리를 산책하다가 만난 사람들의 미소가 담긴 사진까지 그러모은 사진첩 같은 느낌인 것이다.

이 책에 담겨 있는 사진들은 도서관의 외관에만 주목하지 않는다. 미국 47개 주 곳곳에 있는 도서관 사진을 통해 여러 가지 방식으로 다양한 도서관의 결을 보여 준다. 나는 이 사진들을 곱씹으며 도서관에 대해 이런저런 생각을 해 보곤 했다. 예를 들면 흑인을 위한 공동체 마을에 설립된, 해방된 노예들이 지은 도서관 사진을 보면서 노예 해방의 역사와 그들의 배움을 향한 열정을 떠올려 보는 식이다.

『공공도서관』에는 각종 사진과 함께 도서관에 대한 단상을 담고 있는 에세이가 몇 편 실려 있다. 청소년 시절 많은 시간을 보낸 도서관이 어떻게 자신의 삶을 바꿔 놓았는지에 대한 바버라 킹솔버의 글을 읽으면서 나는 도서관이 한 소녀를 훌륭한 작가로 성장시키는 데 기여

한 사회적 자산이었음을 깨닫고 고개를 주억거렸다. 네 살 때부터 아버지를 따라 함께 도서관 여행을 했던 로버트 도슨의 아들 워커 도슨의 글을 읽으면서는 도서관이 지리학, 인종, 역사, 정치, 경제, 사회, 여행을 결합해서 생각해 볼 수 있는 주제임을 다시금 생각했다.

그중 가장 인상적인 글은 네바다주 북동부 지역의 이동도서관 사서인 켈빈 셀더스가 쓴 에세이였다. 켈빈은 도서관을 이용하는 데 어려움을 겪고 있는 미국의 외딴 지역에서 이동도서관 사서로 일한다. 달리 말하면 그는 책을 가득 실은 2005년식 켄워스 트럭을 모는 운전기사다. 그는 이용자가 조금이라도 많은 장소와 이용하기 편한 시간에 맞춰 트럭을 대기시킨다. 그러고는 이렇게 말한다.

"사람들 손에 책을 쥐여 주는 것, 이것이 사서에게 가장 중요한 일이다."

그는 사서이자 운전기사이면서 이 지역 마을 사람들에게 외부의 공기를 실어 나르는 일종의 오아시스 같은 존재가 아닐까?

한국에서 미국 도서관 문화에 대해 이야기할 때면 종종 이런 질문이 날아든다.

"거긴 이미 모든 인력과 인프라가 구축된 곳 아닌가요? 우리와는 너무 다르잖아요."

그럴지도 모른다. 하지만 이미 완벽해 보이는 그들의

문화 가운데도 책 한 권을 이용자에게 전해 주기 위해 분투해 온 역사가 있다. 그리고 그 노력은 여전히 계속되고 있다.

우리나라에서도 예전에는, 특히 지방에서는 이동도서관이 많은 사랑을 받았다. 요즘은 그다지 많진 않지만, 예를 들면 전남 강진의 강진군 도서관에서는 지금도 월요일부터 금요일까지 이동도서관 버스가 지역을 순회하며 사람들에게 책을 전해 준다. 만약 내가 서울이 아닌 강진의 외곽 지역에 살았더라면 이동도서관 버스가 오는 날을 눈 빠지게 기다렸을 것이다. 머나먼 미국뿐만 아니라 한국에서도 이용자에게 책을 전하기 위한 노력은 여전히 이어지고 있다.

나는 『공공도서관』이 담고 있는 다양한 입체감이 좋다. 여행이 나와는 다른 세계에 대한 접촉이라면, 그래서 그 가운데서 세계의 정면과 이면을 들여다보는 것이라면 도서관 여행을 꿈꾸는 이들에게 이 책을 권한다. 충분히 한 번쯤 해 봄 직한 여행일 것이다.

II
가까운 곳으로 떠난 여행
― 우리 도서관을 살피다

16
{ 도서관 부지 선정과 관련한 씁쓸한 역사 }

도서관 문화가 발달한 외국 도시들을 다니다 보면 굳이 도서관에 들르려 하지 않아도 그곳을 지나치게 된다. 도시의 중심부에서 멀지 않은, 여행자가 다니는 길목에 도서관이 있기 때문이다. 조그만 동네 도서관 역시 마찬가지다. 동네 산책을 하다 보면 어김없이 도서관과 마주친다. 이는 오래전 그 도서관들이 설계된 시점부터 정책 입안자들이 도서관의 중요성을 인식하고 도시 계획을 했기에 가능한 일일 것이다. 반면에 한국에서 지인들과 도서관에 대한 이야기를 나누다 보면 자주 부딪치는 장벽 중 하나가 접근성 문제다. 교통이 편리하지 않거나 동네 구석의 언덕배기에 있어 큰맘 먹지 않으면 도서관 가기 어렵다는 하소연이 튀어나오는 것이다.

사서 입장에서도 마찬가지 고민이 있다. 지방 소도시

에서 열심히 도서관을 꾸려 가는 한 사서 선생님께 이런 이야기를 들은 적이 있다.

"우리 도서관은 도시 중심부에서 너무 멀어요. 뭘 해도 사람들을 이곳까지 끌어들이기가 힘들어요. 이용자의 만족도가 높고 좋은 성과를 거두고 있는 모 도서관 사서들은 어깨를 으쓱하며 자기 도서관에 대한 자부심을 표현하곤 하는데, 사실 그 도서관은 지하철역과 맞닿아 있잖아요. 절반은 먹고 들어가는 거라고요."

한국의 도서관 부지 선정의 실상을 여실히 보여 주는 사례로 대한민국 대표 도서관인 국립중앙도서관 이전의 역사를 살펴보자. 서울시 행정공무원이었던 손정목의 흥미진진한 증언이 가득한 책 『서울 도시 계획 이야기』에 그 전모가 소상히 밝혀져 있다. 국립중앙도서관의 전신인 국립도서관은 해방 이후인 1945년 총독부 도서관 자리에 문을 열었다. 지금의 서울 을지로 롯데호텔 주차장 자리, 그야말로 시내 한복판의 노른자위 땅에 만들어진 문화 공간이었다. 이곳은 1960~1970년대 문화의 펌프 역할을 하며 많은 문인과 예술가의 사랑을 받았다.

하지만 이 공간은 규모가 작아 더 이상 장서를 보관할 수 없는 상황에 이르렀고, 1974년 남산의 어린이회관 자리로 이전한다. 교통편이 좋지 않은 데다가 아이들이 오르기에 무리가 있는 이곳으로 도서관을 옮긴 이유는 무엇이었을까? 이 사안에는 롯데그룹이 개입되어 있다. 일본에서 제과 사업으로 이름을 날리던 신격호 회장의 돈을 끌어들이기 위해 박정희 전 대통령은 롯데에 세금 감면을 비롯한 각종 특혜를 베풀었다. 그 과정에서 시내 한복판에 있던 국립중앙도서관은 엉뚱하게 남산으로 이전되고, 롯데가 그 땅을 넘겨받아 현재의 롯데백화점과 롯데호텔을 세운 것이다.

정부에서 남산 어린이회관 건물과 부지를 사는 데는 총 8억 4,000여만 원이 들었으며, 원래 도서관 건물로 지어진 게 아니어서 도서관으로 개장하는 데 추가로 8억 3,500여만 원이 들었다고 한다. 리모델링에 큰돈이 든 이전이었다. 하지만 수리 후에도 구조와 안전 관리 문제가 심각해 결국 13년 만에 지금의 반포 부지로 이전한다. 그때 도서관으로 쓰인 건물에는 지금 서울특별시교육청교육연구정보원이 자리하고 있다.

반포로의 이전은 전두환 전 대통령의 결정이었는데, 이 역시 행정수도 이전을 위해 정부에서 구입해 둔 땅의 자투리에 세워진다. 지금은 교통편이 촘촘해져서 접근성이 많이 나아졌지만, 도서관을 이용하는 시민들의 접근성보다는 권력의 논리에 따라 부지의 위치가 결정되어 온 게 바로 국립중앙도서관 이전의 역사인 셈이다.

물론 한국에도 접근성을 최대한 고려하여 위치 선정을 한 도서관이 꽤 있다. 대표적으로 많은 대학도서관을 들 수 있다. '대학의 심장'이라는 수식어에 걸맞게 도서관들은 대학의 중심 공간에 있고, 그 덕분에 도서관 앞에는 자연스럽게 사람들이 모이고 학내의 다양한 정보와 목소리도 들을 수 있다.

서울 주변부에 만들어진 신도시의 경우는 도서관으로의 접근성이 그나마 괜찮은 편이다. 시대의 흐름에 따라 도서관이 도시 중심에 있어야 한다는 목소리가 힘을 얻은 덕분이다.

도서관은 일단 위치가 결정되면 단시일 내에 옮길 수 없고, 그 한계를 도서관이 끌어안아야 하므로 위치 선정 시 신중한 결정이 요구된다. 이러한 측면에서 2012년 서울특별시 청사 건물을 리모델링해 개관한 서울도서관의 존재는 남달리 다가온다. 1,000만 명 이상이 거주하는 메트로폴리스의 한복판에 도서관이 자리한 만큼 그다음 숙제를 풀어야 할 이들은 도서관 운영자와 그곳을 이용하는 시민일 것이다. 활발하고 적극적인 이용자의 목소리가 개진될 때, 그리고 도서관이 이를 한껏 끌어안을 때 비로소 도서관은 도시 중심부의 활력 넘치는 공간으로 자리매김할 것이다.

17
{ 고3은 독서 금지? 창피하지 않나요? }

수줍은 여고생 시절, 나는 책벌레였다. 당시 서울시청 근방에 있던 학교의 담장 밖에서는 연일 집회가 열렸다. 간간이 들려오는 소문에 의하면 세상이 몹시도 들썩이고 있다고 했다. 나는 내 세계가 단지 학교 안에만 갇혀 있지 않길 바랐다. 담장 밖 거리를 비롯해 그 너머의 세계가 궁금했고, 책은 내가 경험해 보지 못한 그 세계가 비롯된 연유를 알려 주는 일종의 유리병 편지였다.

주머니가 가벼운 고등학생이 기댈 곳은 도서관뿐이었다. 다행히도 번듯한 도서관 건물이 따로 있는 학교에 다녔고, 폐가제로 운영되긴 했지만 장서 수도 적지 않았다. 일주일에 한두 번은 도서관 서가와 바깥을 가로막고 있는 유리벽 너머로 책 제목과 청구기호가 적힌 종이를 들이밀어 책을 대출했다. 왜 내가 도서반에

: 우리 도서관을 살피다

들지 않았을까, 그랬다면 저 서가를 휘젓고 다니면서 마음대로 책을 들춰 보며 빌릴 수 있었을 텐데. 후회하고 또 후회했다. 나와 책 사이의 유리벽이 야속하기만 했다.

고3이 시작될 무렵, 그때까지 제대로 통성명도 하지 않았던 사서 선생님께서 책을 빌리러 온 나에게 말씀하셨다.

"이제 고3인데, 책 조금만 보고 학과 공부를 더 해야 하지 않겠니?"

수줍음 많았던 나는 적당한 답변을 하지 못한 채 쭈뼛거리며 선생님을 바라보다가 책을 받아 들고는 얼른 도서관을 빠져나왔다. 선생님이 나를 아시는구나 하는 생각과 동시에 이제 대학 입시를 준비해야 하는데 책만 너무 많이 보니까 나를 걱정해 주시는구나 하는 생각도 들었다.

선생님의 충고 덕분이었는지 나는 무사히 그 질풍노도의 시기를 지나갔고, 그 시절 도서관 근방 나무 아래에서 책 읽으며 종종 눈물 바람 하던 기억은 아직도 마음속에 아련히 남아 있다.

고등학교를 졸업한 지 십수 년이 흐른 어느 날, 우연히 학교 근처를 지나다가 불쑥 도서관에 들른 적이 있다. 건물은 그대로였고, 이제는 개가식●이 된 도서관은 서가들이 깔끔하게 정리되어 있었다. 그때 예전의

● 이용자가 원하는 책을 직접 찾아 볼 수 있도록 운영하는 제도.

그 사서 선생님 얼굴이 눈에 들어왔다. 이제는 수줍은 여고생이 아니었기에 척척 걸어가서 선생님께 인사드렸다.

"이 도서관에서 정말 책 많이 빌려 읽었어요."

선생님께서는 나를 기억해 주셨고, 내가 책 만드는 사람이 된 것도 뿌듯해하셨다. 선생님은 개가식이 된 도서관은 자세히 못 봤을 거라며 나를 이끌고 도서관 구석구석을 안내해 주셨다. 선생님의 표정에서 사뭇 자부심이 내비쳤다. 이곳은 선생님이 정성을 기울여 평생을 가꾼 세계구나 하는 생각이 들었다. 때마침 학생들이 삼삼오오 도서관으로 몰려들었다. 수업이 있는 모양이었다. 아쉬웠지만 선생님이 구축한 세계를 그렇게 잠깐 엿본 후 그곳을 빠져나왔다.

SNS에서 이런 글을 본 적이 있다.

"고3은 독서 금지. 도서관에서 책 대출 목록 확인 후 3학년의 대출 기록 확인 시 체벌."

눈에 거슬리는 말이 한둘이 아니었다. 왜 개인의 대출 목록을 타인이 확인하며, 체벌은 또 어느 시절의 이야기인가? 그 옛날 내 사서 선생님의 조언은 책 읽기의 호흡을 조절하라는 말이었지, 독서를 작파하라는 말이 아니었다. 그런 식으로 살다 보면 독서는 언제나 여유 있는 이들의 '취미'가 될 뿐이다. 취업 준비하기도 바쁜데 책 읽기가 웬 말이며, 먹고살기 바쁜데 독서는 배부

: 우리 도서관을 살피다

95

른 소리 아니겠는가? 책이 이런 취급을 받는 게 익숙하면서도 서럽다. 하지만 무엇보다도 그런 금지를 겪으며 자라는 아이들의 위축될 사고와 쪼그라들 호기심이 더더욱 안타깝다.

마음의 양식을 금지당한 고3 학생들에게 부디 이런 금기 없는 자유가 함께하기를! 그리고 그런 규칙을 만든 알량한 어른들은 제발 책 좀 더 보고 깨달음을 얻으시기를!

18

{ **사서 없는 도서관, 팥소 없는 찐빵** }

2016년 알파고와 이세돌의 바둑 격전은 인공지능과 인간 고수의 대결로 전 사회적 이슈가 되었다. 인간 고수의 패배라는 결과도 충격적이었지만, 인간이 해 오던 일을 인공지능이 대체할 수 있다는 담론이 본격적으로 대두되면서 미래 사회에 대한 다소 암울한 화두가 제기되기도 했다. 이러한 사회 변화는 자연스레 지금 자리 잡고 있는 직업군이 사라지는 결과도 가져올 것이다. 도서관계에서는 사서의 존재가 바로 그러한 논란의 대상이 되기도 한다.

한국에서 사서는 꽤 많은 오해를 받는 직업이다. 이는 우리가 도서관을 바라보는 시선과 결부되어 있다. 도서관이 독서실로 오해되거나, 단지 내가 원하는 책을 대출하고 반납하는 곳으로만 여겨질 때, 그곳에서 일하는 사람에 대해 두 가지 방향의 오해를 양산한다. 하나는 여유 시간에 책을 읽으면서 안내 데스크를 지킬 수 있는 사람이라는 것, 또 하나는 마트의 계산대 앞에 있는 직원처럼 책의 대출과 반납을 위해 바코드를 찍어 주는 사람이라는 것이다. 이 둘은 동전의 양면과 다를 바 없이 밀접하게 결부된, 사실은 하나의 이미지다.

나는 이런 이미지로 사서를 이야기하는 사람들을 볼 때마다 내 직업인 편집자의 모습을 생각하게 된다. 언젠가 어떤 편집자의 이런 토로를 들은 적이 있다.

"우리 엄마조차 제가 무슨 일을 하는지 정확히 모르세요. 원고는 저자가 쓰고, 디자인은 디자이너가 하는데, 대체 넌 뭘 하는 사람이냐고 물으시거든요."

하지만 편집자는 모두 안다. 우리가 없으면 이 세상에 책이 존재할 수 없다는 것을. 사서 역시 도서관을 이용하는 이들의 눈에 드러나 보이지는 않지만, 도서관에서 이용자들을 위해 수많은 일을 하는 존재다. 그러므로 아마 사서는 모두 알 것이다. 자신들이 없으면 이 세상에 도서관이 존재할 수 없다는 것을.

한편 북미 도서관계에서 사서의 존재에 대한 의문이 제기된 것은 '책 없는 도서관'이 개관하면서부터였다. 2002년 미국 애리조나주 투손에 전자책만을 구비한 도서관이 개관했는데, 이후 주민들의 요청으로 결국 종이책이 함께 비치되었다. 하지만 이러한 시도는 계속되어

2013년 텍사스주 샌안토니오에 책 없는 도서관 '비블리오테크'Biblio Tech가 개관했다. 도서관 내부의 모습은 마치 애플스토어와 유사하다. 여러 대의 컴퓨터가 늘어서 있고, 이용자는 컴퓨터 앞에 앉아 자신이 원하는 전자책과 각종 자료를 둘러볼 수 있다.

이러한 신개념 도서관의 개관은 자연스레 사서의 존재에 대한 이슈로 번져 나갔다. 책 없는 도서관에서 사서는 과연 필요한 존재일까? 대개의 경우 책은 누가 읽어 줄 수 있는 게 아니라 혼자 스스로 읽어야 하는 것이다. 소극적으로 보자면 책 없는 도서관에서도 이용자가 쓰는 컴퓨터와 건물을 유지·관리해 주는 이로서 사서의 존재 의미를 찾을 수 있다. 하지만 사서는 과연 그런 식으로만 존재해야 하는 걸까?

북미의 도서관들은 이 이슈에 대해 도서관의 커뮤니티적 특성을 강화하는 방향으로 타개의 방법을 찾고 있는 듯하다. 일종의 마을회관과 유사한 기능을 해 온 경우가 꽤 있으니, 그러한 경험을 바탕으로 공간의 기능을 확장시켜 고민하는 것이다. 이런 측면에서 보자면 사서의 업무 영역도 책을 넘어서 확장되어 가고 있는 셈이다.

북미의 도서관에서는 책과 무관해 보이는 일을 많이 벌인다. 예를 들면, 도서관 한쪽 공간에서 할머니들이 일주일에 한 번씩 뜨개질 모임을 하기도 한다. 매년 어린이를 대상으로 체스 대회를 여는 도서관도 있는데, 대회 직전에는 학생들이 도서관에 몰려와 끙끙거리며 체스 연습을 하기도 한다. 실직자를 위한 취업 알선 프로그램도 인기다. 많은 도서관에 이러한 프로그램을 전담하는 사서가 배치되어 있고, 재취업을 위한 교육이 함께 실시되는 경우도 꽤 있다. 이뿐만이 아니다. 미국에 거주하는 후배는 소득세 신고를 위해 1년에 한 번씩 도서관을 찾는다. 세무사를 고용하기에는 비용 부담이 큰데, 도서관에서 각종 서식 작성 요령을 알려 주는 것은 물론이고 서류 검토까지 해 주기 때문에 미리 예약만 하면 전문가의 도움을 받아 무사히 세금 신고를 마칠 수 있다고 한다.

소규모의 동네 도서관만 이런 고민을 하는 게 아니다. 샌프란시스코 공공도서관은 내부 공사를 하면서 사람들이 모여서 토론할 수 있는 공간을 여럿 만들었다. 2~4명이 사용할 수 있는 작은 곳에서 15명 내외가 쓸 수 있는 큰 곳까지 다양한 크기의 공간을 마련해 이용자들이 함께 무언가를 논의하고 도모할 수 있도록 한 것이다. 개인적인 용무로 이 공간을 대여하기는 어렵지만, 지속적인 공부 모임, 지역 문제를 고민하는 단체, 그 외에 공공성과 관련한 지속적인 논의를 필요로 하는 모임이라면 이 공간을 사용할 수 있다. 지식의 공공성을 추구하는 도서관은 그렇게 공간의 공공성까지도 함께 고민하며 나아가고 있는 것이다.

이에 대한 도서관 사서들의 입장이 모두 일치하는 것은 아니다. 도서관의 업무를 책, 지식, 정보를 중심으로 사고하는 사서는 확장된 업무에 의문을 표한다. 도서관이 이 세상 모든 문제를 해결해 주는 곳이 되어 버린다면 이제까지 해 왔던 주요 업무가 흔들릴 수 있다는 우려를 표하기도 한다. 또한 확장된 업무를 인정하더라도 그 업무를 위한 근무 환경이 갖춰지고 있는지에 대한 점검이 필요하다는 목소리도 있다. 아직은 이러한 문제가 논의를 통해 합의를 끌어내야 할 사안인 것이다.

다시 원점으로 돌아가 보자. 도서관이 인류의 지식을 시민과 나누기 위해 마련된 공간이라면 그 나눔을 기획하고 실행하며 유지하는 데 사서는 필수적인 존재다. 미래의 어느 날에는 그것조차 기계가 대치할지 모르겠지만, 우리에게는 아직 사서가 필요하다. 몸을 부대끼고 마음을 나누면서 나름의 삶의 의미를 찾아가는 인간에게는 여전히 그것을 함께 고민해 줄 또 다른 인간이 필요하다. 함께 살고 함께 나누는 법을 고민하는 사서 말이다.

19

{ 도서관의 깊숙한 곳에서 책의 일생을 엿보다 }

내가 대학에 다니던 시절, 도서관은 아직 폐가식이었다. 학생들은 도서 목록 카드를 뒤적여서 책의 청구기호를 찾아낸 뒤 종이에 적은 다음 창구 앞에 줄을 섰다. 창구 너머에서 사서 선생님과 아르바이트 학생들은 그 종이를 받아 폐가식 서가에서 책을 찾은 뒤 대출자의 이름을 호명해 신청 도서를 건네 주셨다. 지금으로선 아마 상상하기 힘든 풍경일 것이다.

나는 내 손으로 책을 살펴본 뒤 책을 빌리고 싶었지만, 당시의 시스템은 그걸 허락지 않았다. 그러던 어느 날, 오래전에 출간된 옛 잡지 여러 권을 신청했다가 돌려주는 일을 반복했더니 사서 선생님이 그냥 서가에 들어가서 책을 찾아보라고 하셨다. '앗, 기회가 왔다!' 나는 이 수법을 이용해 자주 그 서가를 들락거렸다. 사서 선생님들은 내 수법을 이미 눈치 채셨지만, 문제를 일으키지는 않겠다 싶으셨는지 그런 나를 용인해 주셨다. 그분들도 나 때문에 서가와 창구 사이에서 발품을 파는 게 싫으셨을 것이다.

묵은 종이 냄새가 풀풀 나던 그 폐가식 서가에는 그때까지 보지 못한 엄청난 양의 책들이 꽂혀 있었다. 나는 시시때때로 그 서가를 탐방하곤 했다. 어슬렁어슬렁 책들을 구경하다가 구미에 맞는 책을 발견하면 책장 위층에 꽂힌 책들을 뺄 때 디디는 발판에 걸터앉아 책을 읽곤 했다. 도서관에 갔다 하면 몇 시간씩 안 보이는 나에게 복학생 선배들은 신입생이 도서관에나 드나든다며 혀를 찼지만, 나는 개의치 않았다. 그 선배들에게 도서관이란 시험공부나 취업 준비를 하는 열람실과 동의어였다. 이제 갓 대학에 들어왔으면 세상 돌아가는 사정을 궁금해하면서 사람들과 토론도 하고 거리에서 시위도 해야 하는데, 도서관에나 처박혀 있느냐는 비난이었다. 나는 선배들이 말하는 세상에도 관심이 있었지만, 책의 세계도 포기할 수 없는 신입생이었다.

나로서는 마음속에 아련하게 간직하고 있는 추억인데, 오랜만에 비슷한 경험을 했다. 도서관 주간을 맞이하여 국립중앙도서관에서 진행한 특별 견학을 다녀온 덕분이다. 견학의 주제는 '도서관 속 책의 일생 따라잡기'. 도서관에 책이 입고된 후 열람하고 보존되는 전 과정을 보여 주는 견학이었다.

도서관에 책이 들어오는 경로는 크게 구입과 기증, 납본으로 나뉜다. 과거의 중요한 자료는 도서관에서 직접 구입하고, 여러 사람에게 기증도 받는다. 당대에 출간하는 책들은 출판사에서 일정 부수를 국가기관에 보내는 게 법제화되어 있고, 이를 납본이라 한다. 국립중앙도서관에는 총 두 권의 납본 도서가 입고되는데, 그중 한 권은 열람용이고, 나머지 한 권은 보존용이다. 보존용 책은 도서관 지하에 있는 축구장 네 개 넓이만 한 서고로 들어간다. 이 서고는 국립중앙도서관 직원도 해당 부서 직원이 아니면 함부로 들어갈 수 없는데, 특별 견학에서 이곳을 최초로 일반인에게 공개한 것이다.

개인 소지품을 모두 밖에 두고 우리는 사서 선생님의 설명을 들으며 지하 서고로 향했다. 마치 은행의 개인 금고 출입문 같은 큰 철제문들이 있었고, 담당 사서 선생님이 카드 키를 갖다 대자 육중한 문이 열렸다. 안에도 또 하나의 철제문이 있어서 정말 비밀스러운 곳에 들어가는 기분이었다. 서고 내부의 온도와 습도는 책의 보존에 적합하게 유지된다고 했다. 8단 책장 한가득 책들이 빼곡히 꽂혀 있었는데, 우리나라 최대 크기의 서고인 만큼 직원들은 책을 찾을 때 내부용 전동차를 이용한다고 했다. 비닐 포장이나 상자 포장 등으로 각각의 책을 보호하고 있는 경우도 꽤 있었다. 보존을 위한 조치인지라 이를 함부로 뜯거나 열어 볼 수 없고, 사서들도 장갑을 끼고 책을 만진다고 했다.

최신 설비로 가득한 그곳은 대학 시절 드나들었던 폐가식 서가처럼 나를 압도하는 무언가가 있었다. 수많은 이들이 만들어 낸 지적 자원을 보존하는 그곳이 마치 노아의 방주처럼 느껴졌달까. 세상이 필요로 할 때 그 책들은 지성의 보루이자 씨앗으로 쓰일 것이다.

2018년 방문했던 도쿄의 도쿄게이자이대학교 도서관에서도 운 좋게 폐가 서고를 견학할 기회가 있었다. 이 도서관은 개가제로 운영되지만, 자료의 양이 방대해지면서 이용률이 떨어지는 자료들을 폐가 서고에 보관하고 있었다. 서고 내부는 책들만 한가득 쌓여 있는 창고처럼 보였다. 책을 신청하면 그 책들이 컨베이어 벨트를 타고 운반되는 자동화 시스템을 갖추고 있었던 것이다. 과거에 내가 몰래 드나들며 어슬렁거렸던 대학의 폐가식 서가와 비교하면 분명 낭만은 없었다. 하지만 이 시스템을 통해 더 많은 책을 보관할 수 있으며, 인력 운용을 원활하게 하고 있었다.

한국에도 몇몇 대형 도서관들은 이런 시스템을 갖추고 있다고 한다. 하지만 도서관 직원만이 드나들 수 있는 이러한 비밀 공간은 나 같은 이용자로서는 상상도 해보지 못한 곳이다. 이런 곳을 일반인에게 무작정 공개할 수는 없겠지만, 이따금 엿볼 수 있게 해 주는 행사가 종종 있었으면 좋겠다. 세상에는 나처럼 도서관의 비밀 공간을 궁금해하는 덕후들이 또 있을 테고, 이처럼 흥미로운 풍경을 나만 볼 순 없으니 말이다. 도서관 사람들에게는 엄연한 작업 공간이겠지만, 나 같은 사람에게는 도서관의 내부를 한 겹 더 들여다볼 수 있는 기회가될 것이다.

20

{ 책이 아니라 사람을 대출하는 휴먼 라이브러리 }

똘망똘망한 중·고등학생들이 도서관 강당에 모여 있었다. 사서 선생님은 열심히 행사의 취지를 설명하셨고, 나는 몇몇 학생에게 선택되었다. 우리 동네 도서관에서 열린 '사람책' 행사 이야기다.

'사람책'이라는 말을 들어 본 적이 있는가? 『나는 런던에서 사람책을 읽는다』라는 책을 보면 사람책을 대출해 주는 행사의 창립자인 로니 아버젤의 인터뷰를 비롯해 다양한 실례를 살펴볼 수 있다. 덴마크의 시민운동가인 로니는 2000년 청소년 축제의 일환으로 '사람책'과 대출자가 직접 만나 일정 시간 이야기를 나눔으로써 타인의 삶을 들여다보고 편견을 줄이며 고정관념을 해소해 보자는 취지에서 이 행사를 기획했다. 일명 '휴먼 라이브러리'는 전 세계로 퍼져 나가더니 드디어 우리 동네에까지 들어왔고, 영광스럽게도 나는 아홉 명의 사람책 중 '책 만드는 사람'으로 주말 아침에 동네 도서관에 앉아 있게 된 것이다.

오래전 휴먼 라이브러리에 대한 이야기를 들으면서 사람책이 된다는 건 어떤 기분일까 궁금했다. 이번 행사는 중·고등학생들의 직업에 대한 고민과 궁금증을 풀어 보는 데 초점을 맞춰 기획되었는데, 나이는 나보다 어리지만 반짝이는 눈빛으로 나를 바라보는 낯선 예비 대출자들 앞에 서니 머릿속에서 생각의 말풍선들이 뭉게뭉게 춤을 췄다. 과연 이들 사람책 가운데서 나를 대출해 주는 사람이 있을까? 사람들은 그만큼 책 만드는 일에 관심이 있을까? 그들은 어떤 궁금증을 들고 나를 찾아올까? 나는 내 일에 대해 조곤조곤 이야기할 수 있을까?

결과적으로 말하자면, 시작 전의 설레는 마음만큼이나 나에게도 흥미로운 경험이었다. 나를 대출해 준 학생들은 어째서였는지 모두 여학생이었고, 나는 오랜만에 낯선 이들과 내가 하는 일과 책에 대한 이야기를 나누었다. 가장 기억에 남는 대출자는 집이 꽤 멀었지만 엄마에게 부탁해 버스를 타고 아침부터 나를 기다린 학생이었다. 장래 희망은 작가. 첫 질문부터 단도직입적이었다.

"전 이다음에 작가가 되고 싶어요. 어떻게 하면 책을

낼 수 있나요?"

구체적인 질문 덕분에 이야기를 끌어 가기도 쉬웠고, 자기가 하고 싶은 일에 대한 열의가 고스란히 느껴져 이 학생에게는 따로 대출 시간을 연장해 줘야 하는 게 아닌가 싶기까지 했다. 물론 다른 학생들의 두루뭉술한 질문들도 튀어나왔다.

"어느 때 가장 보람을 느끼세요?"

"언제 가장 힘드셨어요?"

이런 질문은 평범해 보이지만 답변하기가 만만치 않다. 하지만 낯선 이들의 질문은 내 일을 되짚어 보는 계기가 되어 주었다. 도서관 근처의 학교에 다니는, 한동안 힐링 관련 책에 푹 빠져 있었다는 여고생과의 대화도 재미있었다. 어쩌다가 동네 산책길에서 만나면 슬며시 등짝 한번 토닥여 주면서 요즘 무슨 책 읽는지 물어보고 싶을 것만 같은 학생이었다.

나를 대출해 준 학생들에게 줄 수 있는 부담스럽지 않으면서 기념이 될 만한 선물이 뭐가 있을까 고민하다가 명함을 챙겨 갔다. 아마도 학생들은 어른에게 명함을 받아 본 경험이 없으리라는 생각 때문이었는데, 예상보다 반응이 좋았다. 책 만드는 사람으로서 나는 많은 사람책, 즉 필자들과 교유한다. 그 사람책들의 생각을 보다 많은 사람들이 접할 수 있는 실물의 책으로 만드는 게 바로 내 일이다. 동네 도서관에서 만난 학생들에게 나라는 사람책이 얼마나 도움이 되었을까? 그건 잘 모르겠다. 하지만 혹시나 이후에 다시 나라는 사람책에 대한 대출이 필요하다면 그걸 해 줄 수 있는 대출증, 즉 명함을 주었으니 최소한 애프터서비스는 어느 정도 가능하리라. 그날 만난 학생들, 제 여건이 되는 한 또다시 대출 가능합니다. 언제든 다시 연락 주세요!

21

{ **책 골라 주는 도서관을 더 많이 보고 싶다** }

출판계와 서점계에서는 '북 큐레이션'이란 말이 유행이다. 주제에 맞는 책을 선별해서 소개하는 작업을 일컫는 말로, 이 열풍은 일본에서 시작되었다. 홋카이도의 조그만 도시 스나가와에 있는 동네 서점 '이와타'는 1만 엔을 지불하면 서점 주인이 적합한 책을 골라 배송해 주는 것으로 유명세를 탔다. 일본 주요 도시들의 핫플레이스가 된 츠타야 서점은 콘셉트에 걸맞은 독특한 책 진열 방식으로 서점의 컬러를 자리매김했다. 한국에서도 북 큐레이터들의 활동이 점차 눈에 띌 것으로 보인다. 그런데 사실 나에겐 신조어와 함께 시작된 이 유행이 전혀 낯설지 않다. 해외 도서관에서 이런 코너를 너무나도 흔하게 봐 왔기 때문이다.

미국에 머물던 시절, 열흘쯤 다른 도시로 여행을 다녀

: 우리 도서관을 살피다

111

온 적이 있다. 여행에서 돌아온 뒤 도서관에 들렀을 때, 책 소개 코너가 '화초와 텃밭 가꾸기'에서 '여행과 캠핑'으로 바뀐 걸 보면서 계절의 변화를 실감했다. 신록의 계절을 지나 무더위가 찾아오고 있었고, 그 변화에 걸맞게 책 소개 코너 역시 바뀌어 있었던 것이다.

자주 이용하던 조그만 동네 도서관에는 홀로코스트로 아버지를 잃은 이용자가 관련 자료들을 기증해 마련된 홀로코스트 특별 코너가 있었다. 도서관에서는 단지 기증 자료만 전시하는 것이 아니라 홀로코스트를 알리는 책, 무참한 학살을 피해 도망쳤던 이들의 경로를 그린 지도, 이들이 숨어서 그린 그림 등 다양한 자료를 함께 소개하고 있었다.

규모가 큰 도서관의 북 큐레이션은 훨씬 다채롭다. 층별로 이용자의 관심사에 걸맞은 코너를 기획하는 경우도 많다. 예를 들어 샌프란시스코 공공도서관에서 눈길을 끌었던 건 아예 방을 하나 마련해서 각종 성 소수자 관련 자료를 모아 둔 'LGBTQIA 센터'였다. 성 소수자 이슈에 예민하게 반응하며 목소리를 내 온 도시의 도서관다운 컬렉션이었다. 층별로 작가에 대한 회고 코너, 지역 이슈에 대한 소개 코너, 각종 식물 관련 책을 모아 둔 어린이실 코너 등도 있었다. 많은 해외 도서관에는 북 큐레이션이 당연히 제공하는 서비스로 안착되어 있다.

북 큐레이션은 분명 이용자에게 다채로운 책을 보다 가까이 소개하기 위한 노력일 것이다. 나는 여기서 '이용자'에 특별히 방점을 찍고 싶다. 책을 읽고 즐기는 사람들에게 더 가까이 다가가기 위한 노력은 결국 이용자에 대한 이해와 관심에서 비롯되는 것일 테니 말이다.

많은 도서관의 북 큐레이션은 일시적 이벤트를 넘어서고 있다. 도서관은 수많은 사람의 노력으로 운영된다. 도서관이 어떤 북 큐레이션을 선보였을 때, 그것이 한 사람의 뛰어난 전문가의 노력에서 비롯된 경우도 있겠지만, 면밀히 살펴보면 대부분의 경우 여러 사람의 노력 그리고 여러 해에 걸친 업데이트를 통해 만들어진 것이라는 점을 강조하고 싶다. 그런 집단적 조직의 힘이 실렸을 때, 북 큐레이션은 훨씬 풍부하고 다채로워질 수 있다. 그러할 때 이용자에게도 좀 더 양질의 지식과 정보를 제공할 수 있을 것이다.

언젠가 충북 지역에 새로운 도서관을 지으면서 그 도서관의 설계와 장서 개발에 대해 지인이 발표를 한 적이 있다. 그는 오랫동안 중·고등학교에서 국어 선생님으로 독서 지도를 해 왔고, 내가 운영하는 출판사에서 『나의 책 읽기 수업』이라는 책을 펴내기도 했다. 그는 그런 경험을 바탕으로 학생들의 접근성을 높이고 편의를 도모할 수 있는 여러 방식을 도서관에 제안하고 있었다.

그의 발표문을 보고 나는 문득 궁금해졌다. 도서관

을 이용하는 학생들은 지역에 따라 그 이해와 요구가 다르지 않을까? 또한 성인 이용자도 여타 지역의 이용자들과는 다른 무언가를 도서관에서 찾고 싶어 하지 않을까? 생각난 김에 그 지역의 산업 분포 통계를 살펴봤다. 이 지역은 60퍼센트 이상의 사람들이 농업에 종사하고 있었고, 지역 특산물도 또렷이 보였다. 노령층 인구도 꽤 많았다. 그래서 이런 질문을 던져 보았다.

"발표문 요지는 좋았어요. 그런데 중·고등학생을 좀 더 세심하고 섬세하게 나누어서 접근해 볼 순 없을까요? 그 지역 학생들의 성향을 더 파고들면 좋을 것 같아서요. 그리고 성인자료실의 경우에는 지역 사람들이 관심을 갖는 자료들에 좀 더 신경 썼으면 좋겠고요."

사실 우리 동네 도서관에도 조심스레 제안을 한 적이 있다.

"도서관에서 좀 더 적극적으로 책을 선별해서 추천해 주고, 그런 특색 있는 코너가 자리 잡았으면 좋겠어요."

아직까지 이 제안은 절반쯤만 시도되고 있다. 도서관 내부의 공간 부족으로 책 자체를 전시하는 대신 책 표지를 출력해서 소개하거나 도서관 웹사이트를 통해 소개하는 데 머물러 있다. 또한 시도를 하더라도 타 기관의 추천 도서가 그대로 소개되는 경우가 많다.

하지만 북 큐레이션이 화제가 되고 있는 요즘, 우리 동네 도서관도 다시금 나름의 고민에 빠져 있지 않을까? 이 새로운 열풍이 도서관에도 훨씬 깊숙이 들이닥쳤으면 좋겠다. 도서관에서 일하는 사람들은 도서관끼리 서비스를 겨룬다고 생각할지 모른다. 하지만 도서관 밖에 있는 사람의 입장에서 매섭게 한마디 보탠다면, 도서관과 서점 또한 서로 겨루는 상대다. 부정적인 의미에서만이 아니다. 책을 둘러보려 할 때 고민하게 되는 공간인 도서관과 서점은 제공하는 서비스는 다르지만, 이용자에게는 분명 견주게 되는 대상이다. 서점과 같은 공간이 새로운 고민을 해 나간다는 것은 도서관에서 일하는 이들에게도 긴장해야 할 사안이다. 서점의 북 큐레이션을 도서관이 따라가야 한다는 것이 아니다. 도서관이 이용자에게 제공할 수 있는 서비스로서의 북 큐레이션은 무엇일까 고민해야 하는 시점이라는 뜻이다. 그런 고민들이 좀 더 많은 도서관에서 논의되길 바란다.

일본 도쿄에 있는 다마미술대학교 하치오지 캠퍼스 도서관. 일제강점기 조선에서 태어났으며 프리츠커상, 왕립 영국건축가협회 금메달, 황금컴퍼스상 등 세계적인 건축상을 연이어 받은 건축가 이토 도요의 작품이다. 미술대학다운 건축과 컬렉션으로도 유명하고 미술계의 최신 흐름을 파악할 수 있는 수많은 자료와 포스터, 팸플릿을 갖춰 놓고 있다.

22

{ 책 읽는 사람에게 중요한 장소는 어디일까 }

출판계에 입문한 후 '출판의 위기'란 말을 안 들어 본 해가 없는 것 같다. 해마다 이번엔 진짜라고 했다. 편집자로 일하다가 출판사까지 차린 나로서는 유쾌한 말이 아니다. 책 판매의 부진과 독서 인구의 감소는 출판 위기론이 떠돌 때마다 나오는 레퍼토리다. 실제로 이는 해마다 하향곡선을 그리고 있으니 위기가 거짓말은 아닌 셈이다.

출판 강국으로 불리는 옆 나라 일본도 예외는 아니다. 일본의 대형 출판사 중 하나인 신초샤는 2015년 10월에 열린 일본 전국도서관대회에서 도서관을 향해 공세를 퍼부었다. 신간 도서의 대출을 1년간 유예해 달라고 요청한 것이다. 도서관계는 즉각 반발했다. 신초샤의 요구가 받아들여질 경우 도서관은 구간舊刊들을 중심으로 운영될 것이다. 책이 새로운 지식을 담는 그릇이라면, 이용자들이 여기에 접근하는 데 장벽이 생기는 셈이다. 매출 부진이 이어지고 있는 출판사의 사정을 감안할 때 궁여지책에 가까운 신초샤의 요구를 이해하지 못하는 것은 아니지만, 이는 지금의 도서관을 어떤 곳으로 상정할지에 대한 논쟁적인 공격일 수 있다.

한국의 실정으로 돌아와 보자. 문화체육관광부에서 매년 발표하는 국민독서실태조사에 의하면, 성인과 학생의 독서량은 도서관 이용률 및 이용 횟수와 정비례한다. 책을 많이 읽는 사람이 도서관을 많이 이용하는 것이다. 책을 많이 읽는 사람은 과연 책을 구입해서 읽을까, 도서관 등에서 대출해서 읽을까? 국민독서실태조사는 여기까지 추적진 않는다. 하지만 해외의 독서 관련 조사 결과를 보면, 도서관 이용률이 높아질수록 책 구매율이 높아지는 것 역시 명백하다. 어떤 결과를 인용하든 책 읽는 독자에게 도서관이 중요한 거점이라는 점은 부인할 수 없는 사실이다. 신초샤의 요구가 받아들여진다면 단기적으로는 출판사의 이익을 높일 수 있겠지만, 장기적으로는 독자를 감소시킬 수도 있는 것이다.

내 경험과 관찰로 미뤄 본다면, 한국 출판계가 도서관에 관심을 갖는 경우는 그리 많지 않았다. 전통적으로는 출판사에서 그간 만든 책들의 서지 사항과 내용을 정리해 도서 목록을 발송할 때 도서관이 주목받아 왔다. 그리고 출판 위기설이 돌 때마다 도서관에서의 책 구입이 대안으로 떠오르긴 했다. 즉 출판사에서는 즉각적인 매출로 이어지는 데 대한 관심이 가장 큰 것이다. 이익을 목표로 운영되는 기업으로서 이는 당연한 것이다. 다만 도서관에 관심이 많은 나로서는 거기에만 관심이 한정되는 것에 아쉬움도 크다.

출판계에서 비교적 한목소리를 내며 지지했던 도서 정가제의 경우, 도서관에서 이를 반대하진 않았지만 이 제도가 시행되면서 어려움도 겪게 되었다. 과거에는 상당한 할인을 통해 도서를 구입했지만 이제 10퍼센트 할인 가격으로 구입해야 하니, 예산이 늘지 않는 경우 구입하는 책의 종수를 줄일 수밖에 없었다. 출판사도 도서관도 이런 결론을 원한 것은 아닐 것이다. 도서관 이용자의 입장에서 본다면 과거와 같은 서비스를 실행하는 데 더 많은 예산이 필요한 상황인데, 출판계가 좀 더 목소리를 내서 이런 어려움을 해소할 수 있는 도서관 예산 증액을 국가에 요구했다면 어땠을까? 도서관계와 출판계가 지금보다는 나은 협업의 분위기를 만들 수 있지 않았을까?

수년 전부터는 출판계가 도서관에서 저자 강연 행사를 진행하면서 도서관 관계자들과의 만남이 잦아지고 있다. 출판계에서는 장소를 대여하는 비용을 줄이면서

도서를 홍보할 수 있고, 도서관으로서는 이용자들에게 새로운 책을 소개할 수 있으니 일거양득인 셈이다. 다만 각각의 도서관이 자기 지역에 걸맞은 행사를 좀 더 기획해 보면 어떨까 하는 생각을 한다. 이 도서관도 저 도서관도 유사한 행사를 하게 될까 걱정이 되는 것이다. 자신만의 특색을 가진 동네 서점이 늘어나길 바라듯 도서관 역시 각자의 빛깔을 가져 주길 바란다.

나는 도서관이 활성화되면 내가 만든 책의 독자가 더 많아지리라고 믿는다. 서점의 매대에 관심을 기울이듯 도서관의 활동에도 마음 쓰는 출판인이 많아졌으면 좋겠다. 출판의 위기를 벗어나는 데 이것이 유일한 길인지는 모르겠지만, 최소한 내가 생각할 수 있는 안전하면서도 유익한 탈출로 중 하나인 것은 분명하다.

23
{ 책까지 직접 만드는 마을 도서관이 있다 }

단신 기사를 하나 보았다. 푸른마을도서관 글쓰기 모임 회원들이 『위대한 스승, 남명 조식』이라는 그림 동화책을 발간했다는 기사였다. 글쓰기 모임에서 책을 발간하는 경우는 꽤 있지만, 도서관을 중심으로 활동하는 모임이라니 책 출간 과정의 내막이 궁금했다. 대뜸 연락해 상황을 물어보았다.

푸른마을도서관은 2007년 경남 진주시의 한 아파트 단지에 개관한 30여 평 규모의 작은도서관으로, 글쓰기 모임은 개관 이듬해에 결성되었다. 많은 작은도서관들이 그러하듯 이 도서관 역시 주부들의 활동이 중심이 되었다. 동네에서 작은도서관을 이끌어 나가며 글쓰기 모임 활동도 하는 주부들로서는 자기 아이들을 위한 동화를 함께 쓰는 게 꽤 현실적인 목표일 수 있겠다 싶었다.

진주 지역과 관련 있는 선조를 다룬 것도 눈에 띄었다. 인근 창원에 있는 경남대 남명학연구소와 고문헌도서관, 진주여성회 등이 이 모임의 창작 활동에 풍부한 자양분을 제공했다. 글쓰기 모임은 단순히 글만 집필한 게 아니라 책 기획부터 편집, 일러스트, 캘리그래피, 디자인, 제작비 마련까지 총괄했다. 책 한 권이 뚝딱 만들어지는 게 아니라 여러 고민과 노력을 통해 완성된다는 걸 이분들은 몸소 체험했을 것이다.

그런데 내가 출판업자여서 그런가, 사실 나는 이 책의 출판사와 유통 과정이 가장 궁금했다. 책을 만들기로 한 주부 회원들은 진주 지역의 출판사에 출간을 의뢰했고, 소규모 출판이어서 전국적으로 책이 유통되고 있진 않지만, 진주를 비롯해 몇몇 도시의 서점에서 독자들과 만나고 있단다. 지역 출판사, 지역 서점을 통해 책이 유통되고 있다니 반가우면서도 한편으로는 미국에서 본 몇몇 도서관의 출판 사례가 떠올라 출판 과정까지 도서관이 아울렀다면 어땠을까 하는 데 생각이 미쳤다.

한국도 이제 독립출판이 그리 어렵지 않은 분위기가 되어 있는데, 미국의 경우는 그 실험에 도서관도 뛰어들고 있다. 사실 출판에까지 손을 뻗쳐 오는 도서관이 나로선 좀 무섭기도 하다. 하지만 그 실제를 들여다보면 상업출판을 하는 이들도 고개를 끄덕일 만한 사례가 꽤 있었다.

2014년 미국도서관협회의 연례 콘퍼런스에서 공공도서관의 출판 사례에 대한 발표를 들은 적이 있다. 이들의 출판은 현재 두 부류로 방향을 잡아 나가고 있는 듯했다. 하나는 도서관이 보유하고 있는, 저작료를 지불하지 않아도 되는 자료 중 외부에 좀 더 알려져야 한다고 판단되는 것을 출판하는 것이다. 영인본● 제작에 가까운 작업으로, 특별한 지원이 없는 한 상업출판사에서 출간했을 때 손해를 감수할 수밖에 없는 것 중 가치 있는 것을 발굴해 세상에 책의 형태로 다시 선보이는 작업이다.

또 다른 하나는 푸른마을도서관의 사례처럼 도서관 모임의 성과를 책으로 출판하는 경우다. 예를 들면, 한 도서관의 자서전 쓰기 모임에서 만든 소책자가 도서관의 손길을 거쳐 제작된 뒤 적극적인 홍보를 통해 지역에 유포되는 식이다. 이 역시 상업출판이 아우르기 어려운 영역을 도서관에서 시도하는 것이면서, 동시에 지역의 사료를 모으고 미래의 작가들을 양성하는 곳으로 도서관이 기능하고 있는 것이다.

이 발표를 듣던 미국의 유명 출판사 편집자는 손을 번쩍 들고 이런 질문을 던졌다.

"다 좋아요. 그런데 세상이 좋아졌다지만 책은 그리 쉽게 만들 수 있는 게 아니에요. 그런 고민이 있는 도서관 관계자들이 출판계에 자문을 구하면 출판 과정을 좀

● 원본을 사진이나 기타의 과학적 방법으로 복제한 인쇄물.

더 빨리 도서관에서 흡수할 수 있지 않을까요?"

많은 이들이 글을 쓰고 책을 만드는 것은 분명 새로운 변화지만, 책을 좀 더 좋게 만들기 위해 끊임없이 노력해 온 출판인들의 입장에서는 뭔가 살짝 틈새가 비어 있는 책이 지속적으로 생산될 수 있다는 사실이 마냥 긍정적으로만은 보이지 않았던 것이다. 이런 질문은 한국의 출판업자인 나에게도 일종의 숙제처럼 들렸다. 세상은 넓고, 한국 도서관계와 출판계는 아직 풀어야 할 과제가 많다.

24
{ **도서관에서 만난 '노잼' 다니엘 씨** }

독일문화원 도서관은 내가 좋아하는 도서관 중 하나
다. 집에서는 멀지만 남산 근방에 갈 일이 있을 때면 나
는 꼭 짬을 내서 이 도서관에 들른다. 오래전 많은 시네
필●들이 독일문화원파와 프랑스문화원파로 나뉘어 경
쟁하듯 여기서 틀어 주는 영화를 즐겨 봤다는 이야기를
들은 적이 있지만, 나는 그들보다는 더 아랫세대이고
시네필보다는 책벌레에 가까워서 이곳에 가면 주로 책
을 둘러보는 편이다.

물리적 거리는 멀지만 심리적으로 나에게 이 도서관
은 살갑게 느껴진다. 도서관에서 꾸준히 발행하는 뉴스
레터 덕분이다. 홈페이지에 들어가서 메일링 리스트에
이메일 주소를 입력하면 누구나 뉴스레터를 받아 볼 수
있는데, 꼬박꼬박 소식을 소개해 줘서 종종 참여하기도

● 영화를 열광적으로 좋아하는 사람.

한다. 대부분의 행사가 무료이고, 내가 가 본 해외 도서관들의 행사와 가장 비슷한 결의 행사가 바로 이곳에서 열린다.

세계 책의 날을 맞이하여 개최된 '다니엘 린데만의 책과 독서 이야기'도 뉴스레터를 통해서 알게 된 후 다녀온 행사다. 여기서 다니엘은 『비정상회담』에 출연해 '노잼'이란 별명을 얻은 바로 그 독일 다니엘이다. 꽃 좋은 철이라 기분 좋게 남산 산책을 하고 독일문화원에 들렀다. 다니엘 씨의 인기 덕분인지 강당에는 사람이 가득했다. 독일인으로 짐작되는 이들도 꽤 눈에 띄었다. 그가 가장 좋아하는 책이라는 에리히 캐스트너의 『하늘을 나는 교실』 일부를 낭독하는 것으로 행사가 시작되었다.

텔레비전에서 한국말을 하는 모습만 보다가 독일어로 책을 읽고 대화를 나누는 모습을 보니 조금 어색했다. 이곳에서 열리는 행사는 한국어와 독일어 동시통역을 해 주는데, 이 과정은 다소 지루한 감도 있지만, 그런 느린 소통을 통해서 나와 다른 언어를 구사하는 이들과 무언가를 나누고 있다는 느낌을 받곤 한다. 그러한 느림은 나눔이자 배려다.

할머니 집에서 흥미진진하게 읽곤 했다는 『하늘을 나는 교실』 이야기에 뒤이어 『모모』로 유명한 독일 작가 미하엘 엔데에 대한 이야기까지 이어졌다. 나는 사실 도서관에 대한 그의 경험이 궁금했는데, 아뿔싸! 그는 어렸을 적 교회에 딸린 도서관에 자주 드나들었지만, 이상하게도 도서관에만 가면 책을 읽기보다는 화장실에 가고 싶었다고 고백했다. '노잼' 다니엘 씨의 고백에 객석에서는 키득키득 웃음이 터져 나왔다.

'텔레비전에 나오는 유명한 사람이 얼마나 알맹이 있는 이야기를 하겠어'라고 생각할지 모르겠지만, 행사는 충분히 좋았다. 어렸을 적 재미있게 읽었던 『하늘을 나는 교실』을 다시 한 번 볼까 싶은 생각도 들었고, 다소 단편적이긴 했지만 독일어권 아동문학의 특징도 파악할 수 있는 자리였다.

가끔 외국 도서관에서도 이런 유명인의 행사를 보게 된다. 미국도서관협회에서 만든 포스터에서는 유명짜한 이들이 책 읽기 홍보에 나서는 모습을 볼 수 있다. 작가처럼 책과 관련된 이들뿐만 아니라 안소니 홉킨스나 로빈 윌리엄스, 에단 호크, 이완 맥그리거 같은 배우를 비롯해 요요마나 데이비드 보위 같은 음악가까지 그런 포스터에 등장한다. 몇 년 전에는 배우 니콜 키드먼이 미국 내슈빌 공공도서관에 200만 달러를 기부했다는 기사를 보기도 했다. 이와 관련한 인터뷰에서 그녀는 이렇게 말했다.

"도서관은 무언가를 배우기 위해 누구나 들를 수 있는 곳이지요. 당신이 무언가를 읽을 수 있다면 도서관은 바로 당신의 것입니다."

　나는 도서관이나 책에 대한 유명인들의 홍보 자체가 마냥 부럽진 않다. 연예인이 드라마에 들고 나온 책이 베스트셀러가 되는 것이 마냥 기분 좋지만은 않은 것과 마찬가지 이유다. 하지만 진짜 부러운 것은 그런 계기를 통해 유익한 정보와 지식을 나누고 책에 대해 생각해 볼 수 있는 분위기를 만들어 가는 모습이다. 이 미묘한 차이를 넘어서는 시도가 이 사회에 더 많아지기를 바란다.

25
{ 음악을 들을 수 있는 도서관 }

자유로이 드나들 수 없는 서울의 건축물들을 일반인에게 개방하고 소개하는 '오픈하우스 서울'이란 행사에 다녀왔다. 내가 방문한 곳은 물론 도서관. 언젠가 꼭 한번 가 보고 싶었지만, 나에게는 그곳에 들어갈 패스가 없었다. 현대카드가 없었으니까.

현대카드에서는 자사 카드 소지자를 위한 공간으로 2014년 2월 디자인 라이브러리를 개관한 데 이어 트래블 라이브러리와 뮤직 라이브러리, 쿠킹 라이브러리를 연이어 열었다. 뮤직 라이브러리는 인사동 쌈지길을 만든 건축가 최문규의 설계로 지어져 2015년 정식 개관했는데, 카드 소지자가 아닌 일반인에게 처음으로 임시 개방하는 행사가 열린 것이다.

이곳을 방문하기 전에 홈페이지를 통해 선행 학습을

했다. '도서관'이 아닌 '라이브러리'라는 이름은 일반 도서관과 차별화하려는 의도로 읽혔다. 슬리퍼나 운동복, 등산복 차림으로는 들어갈 수 없다는 안내에서 나는 조금 주춤했다. 기업에서 고객을 위한 서비스로 콘셉트가 분명한 도서관을 구상해 내고 그것을 운영하는 점은 분명 반길 일이다. 그럼에도 이곳은 모든 사람에게 동등하게 개방되어야 한다는 근대 도서관의 철학과는 다르게 디자인된 공간일 것이라는 느낌이 들었다.

1950년대 이후의 대중음악 관련 자료를 보유한 이 도서관은 크지는 않았지만 자기 색깔을 분명하게 보여 주는 단단한 컬렉션을 만들어 가려는 듯했다. 한쪽 벽면은 시대별, 장르별로 분류된 대중음악 관련 책자로 채워져 있었고, 이용자들이 각자 LP 음반을 신청해서 들을 수 있는 개인 공간도 마련되어 있었다. 지하에는 최신식 조명 및 음향 설비를 갖춘 공연장과 음악 하는 이들이 쾌적하게 개인 작업을 할 수 있는 공간까지 있었다.

도서관과 공연장이 있는 건물 내부도 인상적이었지만, 무엇보다 눈에 들어왔던 것은 이 건물 바깥으로 펼쳐진 서울의 풍광이었다. 보통의 건물이라면 건물 대지로 사용해야 할 곳을 절반가량 과감하게 비운 덕분에 거리에서도 훌쩍 뚫린 남산 아래쪽 풍경을 엿볼 수 있다. 빽빽이 이어지는 건물들 틈새에 이렇게 뻥 뚫린 여유 공간을 둠으로써 사람들이 가끔 이 빈 공간에 들어와 맥주 한잔 마시면서 서울 풍경을 바라보길 바랐다는 건축가의 설명에 순간 마음이 환해졌다. 이 공간의 개방성은 내가 도서관에 기대하는 개방성과 유사한 것이었으니까.

개인적으로 음악을 들을 수 있는 도서관이라는 개념이 낯선 사람도 있겠지만, 이미 세계 유수의 도서관들은 책을 넘어선 다양한 자료를 수집하고 있다. 뉴욕의 도서관 중 내가 가장 좋아하는 곳은 링컨센터에 있는 뉴욕 공공도서관 공연예술관The New York Public Library for the Performing Arts이다. 이 도서관은 뉴욕시에 있는 5개의 중앙도서관 중 하나로, 공연예술 전문 책자와 앨범, 테이프 등의 자료를 어마어마하게 소장하고 있다. 뮤직 라이브러리처럼 홀로 앉아서 느긋하게 음악을 듣거나 공연 실황 비디오를 볼 수 있으며, 공연장이 딸려 있어서 운 좋으면 공연을 라이브로 감상할 수도 있다. 물론 이 모든 게 미국 시민권이 없는 나 같은 사람에게조차 공짜다!

한국에도 이와 유사한 곳이 있다. 서울 서초동 예술의전당에 있는 한국문화예술위원회 아르코예술기록원이다. 이곳의 영상자료실에서는 각종 음반, 영상, 공연 녹화본 등을 개인적으로 자유롭게 열람해 볼 수 있다. 이런 특색 있는 도서관이 좀 더 활발하게 이용되면서 사람들의 사랑을 받았으면 좋겠다. 뮤직 라이브러리 또한 나 같은 이들을 위해 이따금 공간을 개방하면서 새로운 콘셉트의 문화를 알려 나가길 바란다. 아, 그리고 단풍 물들어 가는 가을, 이태원을 지나는 분은 뮤직 라이브러리 너머로 보이는 서울의 정경을 꼭 감상해 보시길!

26
{ 사람과 책 사이에 사서가 있다 }

파주출판단지에는 '지혜의 숲'이라는 멋진 이름의 공간이 있다. 24시간 개방하는 곳으로, 출판사를 비롯해 많은 연구자들이 기증한 책이 건물 안에 가득 꽂혀 있다. 외관은 물론이고 내부 인테리어도 훌륭하다. 우아한 서가에 높은 천장 꼭대기까지 책이 빽빽이 꽂혀 있는 모습이 아주 멋있다. 이용자를 위한 좌석도 여느 카페 못지않다. 각종 프로그램도 인기가 있다. 파주에 들르면 꼭 한 번은 가 본다는 지역의 명소다.

2004년 이곳의 개관 소식이 들려왔을 때 나는 미국에 있었다. 우연히 기사를 보고 반가운 마음이 들었지만, 이내 우려가 밀려왔다. 차후에 '도서관'이라는 명칭을 자체적으로 삭제했지만 개관을 알리는 언론 기사에는 엄연한 도서관으로 보도되고 있었는데, 그럼에도 사서가 없었기 때문이다. 차비에 가까운 비용만 받고 자원봉사를 하는 '권독사'權讀士가 있을 뿐이라고 했다.

언젠가 텔레비전 예능 프로그램에서 '연극의 3요소'에 대한 대화가 오가는 걸 본 적이 있다. 연극의 3요소가 배우, 무대, 관객이라면 도서관의 3요소는 무엇일까? 도서관에서의 배우는 당연히 책일 테고, 관객은 이용자일 것이다. 그렇다면 무대에 해당하는 것은 도서관 건물일까? 연극에서 배우와 관객을 함께하게 해 주는 것이 무대라면 도서관에서 책과 이용자를 연결해 주는 것은 사서가 아닐까?

책을 빌려주고 돌려받는 데 바코드를 찍어 주는 사람만 필요하다면 도서관에는 단순 업무를 하는 사람만 있으면 될 것이다. 하지만 나는 도서관이 많은 책을 전문적으로 분류하고 관리하는 동시에 나에게 필요한 정보를 서비스해 줄 수 있었으면 좋겠다. 사서란 그런 공간의 관리자이자 코디네이터다. 책과 나의 대화를 매개해 주는 사람, 사서란 내게 그런 존재다.

지혜의 숲에 다녀온 사람들의 호평을 들었다. 평소 책을 가까이 하는 사람들의 호평을 듣고 이곳에 대해 불편한 마음을 갖는 것이 조금은 조심스러워졌다. 내가 잘못 생각한 걸까? 그래서 실제로 가 봤다. 공간은 좋았다. 일반적인 도서관의 도서 분류 체계에서 벗어나 출판사와 기증자에 따라 서가가 정리되어 있었는데, 특정

한 책을 찾는 게 아니라 서가 사이를 어슬렁거리면서 책을 발견하는 재미를 느끼는 데는 이런 정리법도 괜찮겠다는 생각이 들었다. 내부 이용자들의 분위기도 좋았다. 일반 도서관의 숙연한 분위기에 비해 이곳은 살짝 소음이 있어도 크게 무리가 없어 보였고, 도서관 열람실 같은 분위기는 전혀 느껴지지 않았다. 내부 인테리어와 주변 경관도 쾌적해 반나절쯤 이곳에서 시간을 즐기는 데도 지루하지 않았다. 책을 읽다가 잠시 산책을 해도 좋을 법한 곳이었다.

생각해 보니 이곳은 내가 가끔 해외에서 이용했던 좋은 시설을 갖춘 도서관들의 분위기와 상당히 유사했다. 어쩌면 한국의 이용자들은 이런 시설을 오랫동안 갈망해 왔는지도 모른다. 보통 사람들에게 책 읽는 시간이란 일상에서 벗어난 시간이고, 그 시간을 조금이나마 여유로운 곳에서 즐길 수 있는 환경을 바라 왔을지도 모르는 것이다.

그렇다고 해서 사서의 부재에 대한 나의 고민이 사그라지지는 않았다. 오히려 나는 지혜의 숲을 보면서 도서관에 대한 이용자의 생각을 변화시키는 데 대한 일종의 힌트를 얻었다. 이곳에서의 경험은 이러한 도서관에 대한 수요를 확장시킬 것이다. 그렇다면 우리 사회에서 아직은 크게 부각되지 않은 사서의 서비스가 강화된 도서관을 실험해 봄으로써 그러한 가능성을 이용자에게

각인시킬 수도 있지 않을까? 이용자가 미처 발견하지 못했던 것을 고민하고 그 길을 알려 주는 사서의 서비스를 경험해 본다면 이용자는 바뀔 것이다.

출판을 업으로 삼는 사람으로서 또 하나의 아쉬운 점은 출판계 사람들이 대규모로 모여 있는 파주출판단지라는 공간에서 혁신적인 도서관을 실험해 볼 기회가 아직 없었다는 점이다. 이때 내가 상상해 본 '혁신'은 사서의 존재에 방점을 찍은 것이다. 편집자는 수많은 책을 만들면서 여러 도서와 자료 등을 참조한다. 최신간은 물론이고 오래전 발행된 구간까지 여러 책을 참조해야 하기 때문에 지혜의 숲 같은 곳보다는 훨씬 체계적으로 자료가 데이터베이스화된 도서관이 필요하다. 이런 도서관에 정보 이용을 도와줄 수 있는 전문적인 참고봉사 사서reference librarian가 있다면, 그래서 해외 유수의 필자들이 사서에게 '감사의 말'을 책에 남길 만큼의 서비스를 제공받듯이 편집자가 그러한 서비스를 제공받을 수 있다면 얼마나 좋을까? 그렇다면 훨씬 좋은 책을 안정감 있게 만들어 낼 수 있지 않을까?

한국 최대의 출판단지에 제대로 된 도서관 하나 없다는 것은 사실 꽤나 부끄러운 일이다. 출판계도 도서관계도 이에 대해 문제의식을 갖고 고민해 보았으면 좋겠다. 책 만드는 사람에게도 도서관은 필요하다.

27

{ **도서 신청, 함부로 하면 큰일 난다?** }

몇 해 전, 동네 친구가 생겼다. 관심사가 비슷해 이야기 나누는 게 즐거웠고, 이곳 토박이여서 동네 구석구석에 얽힌 사연을 듣는 것도 재미있었다. 집이 가까우니 한밤중에 슬리퍼를 끌고 나와 만나도 부담이 없었다. 오랜만에 생긴 동네 친구 덕분에 한층 삶이 풍요로워진 느낌이었다.

이 친구가 동네 도서관을 자주 이용하는 건 알고 있었는데, 어느 날 문득 동네 도서관 홈페이지에서 희망도서를 신청하다가 친구의 이름을 발견했다. 다른 사람이 어떤 도서를 신청했는지 볼 수 있게 되어 있었는데, 친구의 관심사와 일치하는 책 제목으로 봐선 동명이인은 아닌 듯싶었다. 호기심이 들어 친구의 이름으로 희망도서 목록을 검색해 봤다. 그녀가 매월 어떤 책을 도서관에 구입해 달라고 했는지 그 목록이 쭉 보였다. 신기하면서도 동시에 찜찜한 기분이 들었다. 누군가 마음만 먹는다면 내가 신청한 희망도서의 목록도 볼 수 있을 테니 말이다.

조금 망설이다가 도서관 홈페이지에 글을 남겼다. 친분 있는 사서 선생님들께 이야기를 건넬 수도 있었지만, 그렇게 하면 사적인 부탁으로 여겨질 수 있으니 그보다는 공개적으로 사안을 논의해 보는 것이 좋겠다는 생각이 들었다.

"현재 도서관 홈페이지에서 희망도서를 신청하면 신청자의 이름이 모두 공개되고 있습니다. 희망도서를 신청할 때 다른 사람이 이미 신청한 책인지 확인해 보는 용도로 책 제목을 검색해 볼 순 있겠지만, 신청자의 이름은 개인 정보이므로 공개되지 않는 게 맞을 듯합니다. 이에 대한 도서관의 생각을 들어 보고 싶습니다."

글을 올려놓고서는 불안했다. 이 문제로 도서관 분들과 싸우고 싶지 않았고, 이분들이 개인 정보 보호에 대한 나름의 문제의식을 가지고 있지 않으면 실망할 것 같은 기분이 들어서였다. 그런데 정말 다행스럽게도 며칠이 지나지 않아 도서관 측의 답변을 받았다. 이 사안에 대해 세심하게 고민하지 못해 죄송하다는 사과와 함께, 홈페이지 시스템을 바꿔 희망도서 신청자의 이름이 보이지 않게 하겠다고 하셨다. 그즈음 도서관에서 만난 사서 선생님은 이 문제를 공론화할 수 있도록 홈페이지에 글을 올려 줘서 고맙다는 인사까지 하셨다. 아무런 토도 달지 않는 '쿨한' 사과는 정말 오랜만이었다.

나는 착실한 도서관 이용자이다 보니 도서관에 매달 꼬박꼬박 희망도서를 신청하고, 그 외에도 많은 책을 대출해서 읽는다. 하지만 내가 어떤 책을 신청하고 읽었는지에 대해 '뒷조사'가 가능한 상황을 생각하면 아찔하다. 남 몰래 읽고 싶은 책도 있는 법이고, 내 삶의 이력 하나를 타인에게 내보이는 기분이 들 것 같기 때문이다. 내가 신청하고 읽은 책의 목록을 도서관에서 임의로 타인에게 공개할 권한은 없다. 그것은 도서관과 나 사이에서만 공유되어야 하는 정보인 것이다.

몇 년 전, 일본의 『고베신문』에서는 소설가 무라카미 하루키가 고교 시절 도서관에서 대출한 책의 목록을 기사화했다. 대출 기록은 책 폐기 분류 작업을 맡았던 이를 통해 우연히 유출되었는데, 일본도서관협회는 '사생활 침해'라며 즉각 항의했다. 이에 신문사는 "무라카미 하루키가 어떻게 문학 세계를 발전시켜 나갔는지 밝히는 건 학술 연구의 대상"이라는 말로 기사의 정당성을 주장했다고 한다. 학술 연구의 대상이라는 이유로 당사자의 허락 없이 대출 기록을 공개해도 되는 걸까?

『고베신문』의 기사에 항의하는 의미로 하루키가 고교 시절 어떤 책을 읽었는지는 여기에 소개하지 않겠다.

그리고 나도 지은 죄가 있으니 사과하겠다.

"친구야, 미안하다. 내가 네 희망도서 신청 목록을 검색해 봤어. 다시는 안 그럴게. 그리고 깜빡하는 기억력 덕분에 그 목록은 이미 잊었어. 다시 검색해 볼 수 없게 도서관 시스템이 바뀌는 데도 일조했으니 부디 내 사과를 받아 주렴."

28
{ 모두의 서재, 공유의 공간 }

본업이 출판업자이니 살짝 홍보 삼아 말하자면, 출판사를 차리고서 첫 책으로 『내 서재 속 고전』이란 책을 펴냈다. 이 책의 필자인 서경식 선생님은 첫 글에서 '서재'라는 단어에 대한 망설임을 밝힌다. 집에 서재를 둘 만한 이들의 부르주아적인 감각이 편치 않았던 것이다. 사실 내 서재 혹은 범주를 좁혀서 내 책장에 꽂혀 있는 책은 대부분 나만이 향유할 수 있다. 이런 책을 둘 수 있는 공간이 있다는 건 서경식 선생님의 지적처럼 분명 어떤 여유 혹은 부유의 표식일 수 있다.

그렇다면 도서관은 어떤 곳일까? 도서관은 내 서재가 아니라 이용자들의 서재다. 그리고 그곳의 책 역시 내 책이 아니라 우리의 책이다. 내 책이라면 그걸 냄비 받침으로 써서 책 표지에 누런 자국이 남든 빨간 펜, 파란

펜으로 책에 온갖 메모를 하든 내 자유지만, 우리의 책이라면 사정이 달라진다.

"이 책에 몇 페이지가 없어요!"

"책이 너무 더러워요!"

사서들이 종종 시달리는 이용자들의 항의다. 도서관 책이 낡았거나 이용자들이 남긴 '생활의 흔적'이 있는 정도는 용인되지만, 어떤 한계를 넘어선 책을 보게 되면 이런저런 생각이 들 수밖에 없다.

함께 쓰는 물건이니 다른 사람 생각해서 깨끗하게 쓰자는 말은 뻔한 말임에도 진리다. 하지만 이렇게만 이야기하면 도덕 교과서 같을 테니 좀 더 세심하게 상황을 들여다보자. 내 주변을 관찰해 보니 이용자로서 참을 수 없는 한계치에도 각자의 편차가 있었다.

까탈스러운 깔끔쟁이 내 친구는 희망도서를 신청한 후 그 책의 첫 대출자가 되는 방식으로만 도서관을 이용한다. 그렇게 빌린 새 책은 많은 서점에서 독자를 기다리며 대기 중인 책과 똑같은 새 물건이니 책 읽는 사람 입장에서는 반납의 유무만 차이 날 뿐 마치 새 옷을 입은 것 같은 기분을 낼 수 있다.

이보다 낮은 수위에서의 한계치는 주로 책에 그어진 밑줄 논쟁으로 나타난다. 너무 심한 경우가 아니라면 다른 사람의 밑줄을 통해 생각의 흔적을 볼 수 있어서 나름 재미있다는 너그러운 이용자가 있는 반면, 밑줄 때문에 도서관 책을 못 빌려 보겠다는 열혈 밑줄 반대주의자도 있다.

내 친구의 깔끔은 극도로 심한 편이고, 밑줄 역시 특정 이용자가 벌인 적극적인 행태이니 좀 더 수위를 낮춰 보자. 누구나 가끔 책을 읽다가 커피도 흘리고 종이에 손을 베어서 책에 피를 묻히기도 한다. 그 책이 내 것이라면 내 책이 상한 것이니 내 마음만 아프면 그만이지만, 도서관 책이라면 사정이 달라진다. 새가슴 이용자라면 이걸 어째야 하나 하는 고민으로도 이어진다.

언젠가 빌린 도서관의 책 면지에는 포스트잇이 하나 붙어 있었다.

"39페이지에 피가 조금 묻었습니다. 수정액으로 응급 처치했는데 더 흉해져서 걱정되는 마음에 쪽지 남깁니다. 혹시 보시는 데 불편하거나 이건 좀 아니다 싶으시면 창구에 가서 말씀해 주시고, ○○○-○○○○-○○○○로 연락 주세요. 다시 구매해서 가져다 놓겠습니다. 죄송합니다."

이 메모를 보고서 하마터면 그 번호로 문자를 보낼 뻔했다.

"메모 잘 봤습니다. 오히려 이 메모로 이야기를 나누는 기분이었어요. 언제 저랑 도서관에서 자판기 커피 한잔 하실래요?"

이 이용자는 간이 작을지는 모르겠지만, 나는 이분 덕

에 많은 것을 배웠다. 도서관 책을 깨끗하게 이용해야 한다는 교육도 필요하겠지만, 실수했을 때 어떻게 미안함을 표현하고 대처해야 하는지를 익히는 것 역시 필요하니까. 우리의 서재, 즉 도서관은 어떻게 하면 우리가 함께 잘 지낼 수 있는지에 대한 고민이 담겨 있는 곳이다. 이것이 바로 한 이용자가 책에 흘린 피와 그 때문에 남긴 메모에서 내가 얻은 피가 되고 살이 된 교훈이다.

29
{ 그렇게 세상은 조금씩 바뀔 것이다 }

경남 지역의 공공도서관 사서 연수에서 해외 공공도
서관의 사례에 대해 강의를 했다. 특별히 사진 자료를
많이 챙겨 가서 해외 도서관들을 조금이나마 더 보여 주
는 데 신경을 썼다. 해외 도서관을 직접 볼 기회가 많지
는 않을 테니 그걸 사진으로나마 볼 수 있다면 실제 활
동에 도움이 될 것 같아서였다.

강의 전 점심시간에 사서 선생님들과 이런저런 이야
기를 나누었다. 현재 한국의 공공도서관 사서는 교육청
소속과 지자체 소속으로 나뉘어 있다. 이러한 이중적인
시스템의 통합이 장기적인 목표이긴 하지만, 아직 통합
하기에는 넘어야 할 산이 많은 상황. 지자체 소속 사서
의 경우, 다른 업무를 하다가 도서관 업무로 보직이 변
경되어 사서로 일하는 경우가 많다. 도서관에 대한 이

해와 경험이 부족한 게 문제가 되기도 하지만, 그렇다고 해서 나름의 장점이 없는 것은 아니다.

공무원으로는 오래 일했지만 얼마 전에 도서관으로 처음 발령을 받으셨다는 한 사서 선생님은 도서관 업무를 한직으로 여기는 풍토가 아직 남아 있지만 이 일을 실제로 해 보면서 도서관이 얼마나 중요한지 알게 되었다고 하셨다. 차후에 보직이 변경되어 예산 부서로 가게 되면 도서관 예산을 늘리는 데 힘써야겠다는 말도 덧붙이셨다. 공무원 사회에서도 그런 식으로 도서관에 대한 이해가 높아질 수 있겠구나 하는 생각이 들었다.

김해도서관의 쾌활한 사서 선생님들의 이야기는 꽤나 인상적이었다. '기적의 도서관' 프로젝트로 건립된 김해도서관은 지하철역과 연결된 입지 조건에다가 활발한 프로그램 운영으로 유명한 곳이다. 사서 선생님들의 목소리에서는 자부심이 넘쳐 났다. 좋은 환경에 안주하지 않고 도서관 이용자들의 도서관에 대한 이해와 이용 문화를 개선해 나가기 위해 맷집 있게 버텨 냈던 이들에게서 느껴지는 자신감이었다. 도서관 이용자라는 불특정 다수의 풍토를 바꿔 나가기 위해서는 도서관이 나아가야 할 방향성에 대한 고민과 함께 실패를 거듭하더라도 흔들리지 않는 꾸준하고 지속적인 노력이 필요하다. 이분들은 그걸 해내고 있는 스스로를 자랑스러워하고 있는 듯했다.

이런 이야기를 들으면 뿌듯하면서도 강의를 하는 게 조금 두려워진다. 도서관 전문가도 아닌 주제에 사서 선생님들 앞에서 강의를 하는 것은 번데기 앞에서 주름을 잡는 격이니 말이다. 여차여차 강의를 마치고 났더니 김해도서관의 한 사서 선생님께서 이렇게 말씀하셨다.

"우리는 오늘 이야기 들은 것 중에서 70~80퍼센트는 이미 하고 있어요!"

각자의 상황과 여건은 다르지만, 곳곳의 도서관에서 그렇게 애쓰면서 굳건히 버티고 있는 분들이 계신 덕분에 도서관은 나날이 단단하게 여물어 갈 것이다.

기왕 지방으로 출장을 간 김에 본업에도 충실하고자 지역 서점을 몇 군데 방문했다. 그중 가장 인상적이었던 것은 경남 진주에서 오랫동안 진주문고라는 서점을 운영하고 있는 여태훈 대표와의 만남이었다. 『동네 도서관이 세상을 바꾼다』라는 책을 읽은 후 이런 책을 펴낸 출판사의 정체가 궁금했는데, 수소문해 보니 이 출판사는 여태훈 대표가 세운 것이었다. 서점 운영에 출판사 론칭, 게다가 도서관 관련 책이라니, 이건 그야말로 책과 관련한 삼위일체가 아닌가!

여태훈 대표가 이 책을 기획한 계기는 일본 규슈 여행에서 만난 다케오 시립도서관이었다. 조그만 동네에 이런 멋진 도서관이 있고, 많은 사람이 이 도서관을 이용하는 걸 보고 자극을 받아 관련 책을 기획하게 된 것이다. 이분 역시 나와 같은 도서관 여행의 길에 들어선 듯했다. 좋은 것을 만난 후에 그것에 대해 알고 싶어 하고, 어떻게 하면 그게 가능할지 생각해 보는 이 재미난 여행에 동료를 만난 듯해 마음이 환해졌다. 책 제목처럼 동네 도서관이 세상을 바꿀 수 있을까? 확답은 못 하겠다. 하지만 동네 도서관이 세상을 바꾸는 하나의 씨앗은 될 수 있을 것이다. 한국 곳곳에도 그 씨앗을 뿌리고 가꾸는 이들이 많다. 그렇게 세상은 조금씩 바뀔 것이다.

©임윤희

1998년 시애틀시는 '모두를 위한 도서관'이라는 거대한 프로젝트를 시작했다. 도시의 새로운 본관 도서관을 건립하는 프로젝트로 지어진 시애틀 공공도서관은 오늘날 세계에서 가장 아름다운 도서관 가운데 하나로 손꼽히며 수많은 사람들의 발길을 이끈다. 사진은 도서관 내부의 '리빙룸'. 도서관의 1층에 자리하여, 도서관에 들어오는 이들이 누구나 거쳐 가면서 편히 책을 살펴볼 수 있는 공간이다.

지금 바로 도서관 여행을 계획하려는 이들에게

"세상에는 도서관이 많고도 많은데, 대체 어떤 도서관에 가 봐야 하나요?"

종종 이런 질문을 받는다. 사실 나는 그저 놀러 간 도시의 도서관에 들르는 데서 이 여행을 시작했다. 북미와 유럽에서는 공공도서관을 살펴보는 것이 그다지 어렵지 않다. 대부분의 경우, 도시의 한가운데에 도서관이 있기 때문에 일부러 도서관에 가려 하지 않아도 도시를 쏘다니다 보면 도서관을 만날 수밖에 없다. 시민들이 생활하는 가장 중심지에 도서관이 있고, 여행자로서나는 그 도서관들을 자연스럽게 만나 왔다.

하지만 도서관 초보 여행자 딱지를 뗄 무렵부터는, 특히 단기간 도시에 머무는 경우에는 사전 조사를 꼼꼼히하는 편이다. 세상이 정말 좋아져서 요즘은 인터넷으로 검색만 해 봐도 정보가 넘쳐 난다. 이전에 방문해 보지 않은 지역이라면, 구글 맵스에 들어가서 그 도시의 이름과 '도서관'(영미권의 경우는 'library', 일본의 경우는 '図書館' 같은 식으로 그 나라 언어를 넣는다)을 함께 검색 창에 입력한다. 그러면 많은 도서관들이 지도에 표시되는데, 여기에 정리된 도서관 정보와 사진, 별점 등을 우선 참조한다. 내가 구글 맵스를 1차 관문으로 쓰는 가장 큰 이유는 지도 정보가 제공되어 위치에 대한 감을 잡을 수 있고 교통편도 확인할 수 있기 때문이다.

검색을 통해 방문하고 싶은 도서관 목록을 만든 다음에는 각개 격파를 통해 정보를 모아야 한다. 각 도서관의 홈페이지에 들어가 보는 것이다. 일반적으로 홈페이지의 정보가 풍부한 도서관이 실제로도 잘 운영될 확률이 높다. 다양한 서비스를 시행하는 도서관인 경우는 홈페이지만 구경하는 데도 한두 시간은 훌쩍 지나간다. 이때 꼭 확인하는 것은 두 가지! 하나는 개관 시간이다. 내가 어떤 도시에 일요일에만 머무는데, 일요일에 도서관이 문을 닫는다면 아무 소용없으니 말이다. 저녁 시간에 문을 여는 날이라면, 저녁을 먹고 느긋하게 도서관을 둘러보는 것도 여행자의 시간을 아끼는 방법 중 하나다. 나머지 하나는 도서관의 전시와 행사 안내이다. 책 구경도 재미있지만, 도서관의 이모저모를 살펴볼 수 있는 자리에 들를 기회가 있다면 금상첨화 아니겠는가.

좀 더 전문적인 여행을 원한다면, 본격적인 도서관 투어를 시도해 볼 수 있다. 외국의 멋진 공공도서관들은 이용자를 위해 투어 프로그램을 무료로 제공하는 경우가 많다. 대개 홈페이지를 통해 신청이 가능하며, 프로그램이 없는 경우 도서관 이메일로 신청해 보는 것도 권한다. 다만 도서관 투어를 위한 인력 배치의 문제 때문에 사전 신청을 요구하는 경우가 많으니, 신청은 미리 하는 게 좋다. 공공도서관이 아닌 대학도서관, 전문도서관 등은 입장료를 받는 경우도 있고, 사전 신청을 하지 않으면 아예 입장이 제한되는 경우가 꽤 있으니 유의할 것! 사실 나는 막무가내로 찾아가서 애처로운 눈빛을 내뿜으며 도서관을 안내해 달라고 요청한 적도 있다. 나의 놀라운 연기력 때문인지 통한 경우도 꽤 있다. 하지만 이것은 운이 따라야 가능한 일임을 명심해야 한다.

  사서 선생님이 안내해 주는 도서관 투어를 하면 이용만 할 때는 전혀 몰랐던 것을 알게 될 때가 많다. 도서관의 건축과 역사를 비롯해 내 눈에는 안 보였지만 놀라운 것들을 배우고 발견하는 기회가 될 것이며, 도서관에서 일하는 이들이 도서관에 대해 품고 있는 애정 또한 느낄 수 있을 것이다.

  좀 뜬금없는 말이지만 덧붙이자면, 한국의 정치인들이 해외 연수를 가서 꼭 사서 선생님의 안내로 도서관 투어를 많이들 하고 왔으면 하는 바람이 있다. 시민의 세금으로 운영되는 해외 도서관이 어떤 모습이고 무슨 서비스를 하는지 보고 온다면, 우리 도서관에 대한 지원도 늘어나지 않을까 한다.

한편 도서관 여행을 할 때는 에티켓도 필요하다. 일본의 도서관 내부는 꽤 조용한 편이고, 대부분 사진과 영상 촬영이 엄격하게 금지된다. 보도를 위한 경우에 한해, 허가를 받고 '보도 완장'까지 찬 뒤에야 촬영이 가능하다. 그 나라의 도서관 문화이니 여행자라면 따를 수밖에. 해외에서는 무료 와이파이를 쓸 수 있는 곳이 한국만큼 많지는 않은데, 도서관에서는 가능하다. 다만 안내 데스크에서 아이디와 비밀번호를 발급받아야만 사용이 가능한 곳도 있다. 간단한 말로도 금세 알아듣고 안내해 주니, 겁내지 말고 문의하시길.

내 경험을 말하자면, 여행 가서 유창하게 그 나라 말을 잘 하지 않더라도 무언가를 더듬더듬 물었을 때 가장 친절하게 답해 주는 사람이 바로 그 나라의 도서관 사서다. 특히 이주자에 대한 고민을 하고 있는 지역의 도서관이라면, 사서는 이런 응대에 익숙하다. 그러니 해외 도서관을 이용한다면 용기를 내서 질문해 보기를 권한다. 질문하는 이에게 길이 보일 것이다!

미국

뉴욕 공공도서관 The New York Public Library
476 5th Ave, New York, NY
www.nypl.org
인스타그램 @nypl
트위터 @nypl

비블리오테크 Bibliotech
1203 N Walters St, San Antonio, TX
bexarbibliotech.org
인스타그램 @bexarbibliotech
트위터 @BexarBibliotech

샌프란시스코 공공도서관 San Francisco Public Library
100 Larkin St, San Francisco, CA
sfpl.org
인스타그램 @sfpubliclibrary
트위터 @SFPublicLibrary

솔트레이크시티 공공도서관 Salt Lake City Public Library
210 East 400 South, Salt Lake City, UT
www.slcpl.org
인스타그램 @slcpl
트위터 @SLCPL

시애틀 공공도서관 Seattle Public Library
1000 Fourth Ave, Seattle, WA
www.spl.org
인스타그램 @seattlepubliclibrary
트위터 @SPLBuzz

의회도서관 Library of Congress
101 Independence Ave, SE, Washington, DC
www.loc.gov
인스타그램 @librarycongress
트위터 @librarycongress

캐나다 ────────

뱅쿠버 공공도서관 Vancouver Public Library
345 Robson St, Vancouver, BC V6B 6B3
www.vpl.ca
인스타그램 @vancouverpubliclibrary
트위터 @VPL

밴프 공공도서관 Banff Public Library
101 Bear St, Banff, AB T1L 1H3
www.banfflibrary.ab.ca
인스타그램 @banffpubliclibrary
트위터 @BanffLibrary

그레이터 빅토리아 공공도서관 Greater Victoria Public Library
735 Broughton St, Victoria, BC, V8W 3H2
www.gvpl.ca
트위터 @gvpl

일본 ────────

도쿄게이자이대학교 도서관 東京経済大学図書館
東京都国分寺市南町1-7-34
www.tku.ac.jp/library
트위터 @tkulibrary

다케오 시립도서관 武雄市図書館
佐賀県武雄市武雄町大字武雄5304-1
www.epochal.city.takeo.lg.jp

미야자키 현립도서관 宮崎県立図書館
宮崎県宮崎市船塚3-210-1
www2.lib.pref.miyazaki.lg.jp

오후나도서관 大船図書館
鎌倉市大船2-1-26
lib.city.kamakura.kanagawa.jp
트위터 @kamakura_tosyok

우라야스 시립도서관 浦安市立図書館
千葉県浦安市猫実1-2-1
library.city.urayasu.chiba.jp

홋카이도대학교 도서관 北海道大学附属図書館
北海道札幌市北区北8条西5丁目
www.lib.hokudai.ac.jp

히비야도서문화관 日比谷図書文化館
東京都千代田区日比谷公園1-4
www.library.chiyoda.tokyo.jp/hibiya
트위터 @HibiyaConcierge

강진군도서관
전라남도 강진군 강진읍 남문길 10
www.gjlib.go.kr
인스타그램 @gjlib1965

한국문화예술위원회
아르코예술기록원
서울시 서초구 남부순환로 2406
예술의전당 한가람디자인미술관
3층
archive.arko.or.kr
트위터 @ArtsArchive
인스타그램 @arkoartsarchive

국립중앙도서관
서울시 서초구 반포대로 201
www.nl.go.kr
인스타그램 @
nationallibraryofkorea
트위터 @library1004

김해도서관
경상남도 김해시 가락로 93번길
72
ghlib.gne.go.kr
트위터 @gimhaelib

남산도서관
서울시 용산구 소월로 109
nslib.sen.go.kr/nslib
트위터 @namsanlib

독일문화원 도서관
서울시 용산구 소월로 132
www.goethe.de/ins/kr/ko/kul/bib.
html
인스타그램 @deutsch_in_seoul
트위터 @GI_Korea

서울도서관
서울시 중구 세종대로 110
lib.seoul.go.kr

지혜의숲
경기도 파주시 회동길 145
www.forestofwisdom.or.kr

진주 푸른마을도서관
경상남도 진주시 내동로348번길 10

현대카드 디자인라이브러리
서울시 종로구 북촌로 31-18
library.hyundaicard.com/DL/main.
hdc
인스타그램 @hyundaicard

현대카드 뮤직라이브러리
서울시 용산구 이태원로 246
library.hyundaicard.com/ML/main.
hdc

현대카드 쿠킹라이브러리

서울시 강남구 압구정로46길 46
library.hyundaicard.com/CL/
main.hdc

현대카드 트래블라이브러리

서울시 강남구 선릉로 152길 18
library.hyundaicard.com/TL/
main.hdc

도서관 여행하는 법
: 앎의 세계에 진입하는 모두를 위한 응원과 환대의 시스템

2019년 4월 14일   초판 1쇄 발행
2024년 11월 4일   초판 6쇄 발행

지은이
임윤희

펴낸이   **펴낸곳**   **등록**
조성웅   도서출판 유유   제406-2010-000032호(2010년 4월 2일)

                 주소
                 경기도 파주시 돌곶이길 180-38, 2층 (우편번호 10881)

전화   **팩스**   **홈페이지**   **전자우편**
031-946-6869   0303-3444-4645   uupress.co.kr   uupress@gmail.com

                 페이스북   **트위터**   **인스타그램**
                 facebook.com   twitter.com   instagram.com
                 /uupress   /uu_press   /uupress

편집   **디자인**   **마케팅**
사공영, 김진희   이기준   전민영

제작   **인쇄**   **제책**   **물류**
제이오   (주)민언프린텍   라정문화사   책과일터

ISBN 979-11-89683-08-5 04080
      979-11-85152-36-3 (세트)

도서관의 말들

**불을 밝히는, 고독한, 무한한, 늘 그 자리에
있는, 비밀스러운, 소중하고 쓸모없으며
썩지 않는 책들로 무장한**

강민선 지음

도서관 이용자였다가 좋아하는
곳(도서관)에서 좋아하는 것(책)과
함께 일하고 싶어서 사서로 일하다가
다시 도서관 이용자로 돌아온
저자. 그는 이제 '그냥 이용자'에서
'사서였던 이용자'가 되어 이전과
달라진 시선으로 고요한 서가
사이를 산책하고, 매혹적인 책 숲을
자유롭게 헤매면서 살아 있는 생명
같은 한 권의 책을 찾고, 그 안에서
조용하게 빛을 발하는 하나의 문장을
채집한다. 『도서관의 말들』은
저자가 차곡차곡 모은 책의 말,
도서관의 말에서 출발해 자신의 삶,
사서로 일하던 지난 시간, 독자이자
이용자이자 글쓰는 사람으로
살아가는 일을 이야기하는 책이다.

워싱턴대학의 한국 책들

동아시아도서관의 보물: 1900~1045

이효경 지음

100년 전 태평양을 건너 시애틀
워싱턴대학교 도서관의 수장고로
들어간 귀한 한국 책들이 있다.
1900년에서 1945년 사이,
한국에서는 어떤 책이 만들어졌을까?
20년 넘게 미국 대학도서관에서
한국학 사서로 일해 온 저자는 귀하고
드문 희귀본, 그중에서도 자신의
마음과 이목을 끈 책들을 골라 그
속에 담긴 시대와 사람들의 근경과
원경을 보여 준다. 문헌사적인
가치에 더해 각 책에 얽힌 갖가지
사연을 함께 소개해 읽는 재미를
더했다.

박물관 보는 법
보이지 않는 것을 보는 감상자의 안목

황윤 글, 손광산 그림

박물관을 제대로 알고 감상하기 위한 책. 소장 역사학자이자 박물관 마니아인 저자가 오래도록 직접 발품을 팔아 수집한 자료와 직접 현장을 누비면서 본인이 듣고 보고 느낀 내용을 흥미로운 스토리텔링 방식으로 집필했다. 우리 근대 박물관사의 흐름을 한눈에 꿰게 할 뿐 아니라 그 흐름을 만들어 간 사람들의 흥미로운 사연과 앞으로 문화 전시 공간으로서 박물관이 나아갈 바람직한 방향까지 가늠하게 해 준다.

일제 치하에서 왜곡된 방식으로 근대를 맞게 된 우리 박물관의 역사도 이제 100여 년이 되었다. 박물관을 설립하는 데 관여한 사람들과 영향을 준 사건들을 살피다 보면 유물의 소장과 보관의 관점에서 파란만장한 우리 근대 100년사를 일별할 수 있다. 또한 공간의 관점에서도 단순히 유물과 예술품을 전시하는 건물로만 여겨졌던 박물관이 색다르게 다가온다. 보이지 않던 박물관의 면모가 보이고 이를 통해 박물관을 관람하는 새로운 시야를 열어 줄 것이다.

땅콩문고

책 먹는 법
든든한 내면을 만드는 독서 레시피

김이경 지음

저자, 번역자, 편집자, 논술 교사, 독서 모임 강사 등 텍스트와 관련한 여러 가지 일을 오래도록 섭렵하면서 단련된 독서가 저자 김이경이 텍스트 읽는 법을 총망라하였다. 읽기 시작하는 법, 질문하면서 읽는 법, 있는 그대로 읽는 법, 다독법, 정독법, 여럿이 함께 읽는 법, 어려운 책 읽는 법, 쓰면서 읽는 법, 소리 내어 읽는 법, 아이와 함께 읽는 법, 문학 읽는 법, 고전 읽는 법 등 여러 가지 상황과 처지에 맞게 책을 접하는 방법을 자신의 인생 갈피갈피에서 겪은 체험과 함께 소개한다.

학생이 배우고 익히는 법
미국 명문고 교장이 각계 전문가들과 완성한 실용 공부법
리처드 샌드윅 지음, 이성자 옮김

저자 리처드 샌드윅은 대학교에서 교육 심리학을 공부했고 고등학교의 교장으로 부임해 그 학교를 미국 내 명문학교로 키우는 데 큰 공헌을 한 사람이다. 그는 학생의 공부 습관이나 노하우에 관심을 갖고 꼭 필요한 요령을 파악해 학생에게 도움을 주고자 했다. 그는 이 책을 각 분야의 전문가의 도움을 받아 완성했다. 심리, 교육부터 영양까지 다채로운 분야의 전문가의 조언으로 다듬어진 덕분에 이 책은 교사와 학부모의 높은 신뢰를 받아 오래도록 학생 교육 방면에서 스테디셀러로 자리매김했다.
"학생들이 효율적인 공부를 하기 위한 보편 원칙을 간단히 터득하게 하는 것"을 목적으로 한다고 밝힌 데에서도 알 수 있듯, 이 책은 공부의 보편 원칙을 앞에 놓고 개별 과목의 공부법을 뒤에 두어 먼저 공부할 때 동기를 부여하려 한다. 학생에게 공부란 무엇인지, 왜 공부를 해야 하는지 설명하고, 뒤이어 공부하는 법을 알려 준다.

서평 쓰는 법
독서의 완성
이원석 지음

서평은 독서의 완성이다. 하지만 아직까지 우리는 서평의 본질에 대한 이해조차 부족하다. 흔히들 책의 요약이나 독후감을 서평으로 이해하지만 서평은 책의 요약이 아니다. 요약은 서평의 전제로서 고급 독자는 서평으로 자기 생각을 내놓는다. 또한 원칙적으로 모든 저자는 서평 쓰기로부터 집필을 시작한다. 그렇다면 서평은 모든 글쓰기의 시작이라고 볼 수 있다. 이 책은 그 시작을 본질부터 차근차근 설명한 안내서다.

어린이책 읽는 법
남녀노소 누구나
김소영 지음

어린이가 평생 독자로 되기를 바라는 어른을 위한 어린이책 안내서. 어린이에게 책이 무엇인지, 독서가 무엇인지 알려 주고, 아이와 책장을 정리하는 법, 분야별로 책 읽는 법과 좋은 책 이야기를 알차게 담았다. 이야기마다 저자가 독서교실에서 만난 아이들의 생생한 일화를 예로 들고 있어 더욱 친근감을 준다. 한편으로 저자는 이 책이 어린이만을 위한 것이 아니라 책 읽기가 정체된 어른에게도 유익하리라 권한다. 실제로 어른도 읽어 보고 싶은 어린이책이 가득 소개되어 있다.

동화 쓰는 법
이야기의 스텝을 제대로 밟기 위하여
이현 지음

어린이문학 작가 이현이 그동안
읽어 온 이야기를 분석하고, 직접
길고 짧은 어린이책을 쓰면서
다양한 인물과 이야기를 만든
과정, 작가 지망생에게 동화 쓰기를
가르치며 정리한 방법을 알차게
담았다. 춤을 배우기 전에 기본
박자에 맞추어 스텝을 배우듯
저자는 독자들이 이야기, 독자,
주인공, 사건, 플롯, 전략 등 동화
쓰기라는 창작의 스텝을 제대로
밟도록 이끌어 준다. 저자가 권하는
동화와 청소년소설, 어린이문학과
창작 이론서 목록도 함께 소개한다.

번역가 되는 법
두 언어와 동고동락하는 지식노동자로
살기 위하여
김택규 지음

전문 출판 번역가로서 20여 년간
살아온 저자가 번역가 지망생에게
들려주는 자신의 경험과 조언을
담은 안내서. 냉혹하다 싶을 정도로
출판 번역과 출판계의 환경을
점검하고, 그 안에서 번역가가
되기를 바라는 이가 할 수 있는 일과
해야 하는 일을 현실적으로 짚어
준다. 직업인으로서 번역가에게
필요한 실제 내용과 더불어 출판계에
갓 들어왔을 때 반드시 살펴야 할
실무까지 알차게 챙겼다.

어휘 늘리는 법
언어의 한계는 세계의 한계다
박일환 지음

30년간 국어 교사로 일한 시인이자
소설가인 박일환 선생이 언어와
어휘에 대한 자신의 관점과 함께
사고를 확장하는 도구로서 어휘를
대하고 늘릴 수 있는 방법을 정리한
책. 교사로서 문학가로서 오랜
기간 관심을 가지고 탐색하고
고민한 언어와 어휘에 대한 다양한
주제가 가닥가닥 담겨 하나의
줄기를 이룬다. 결국 언어와 어휘를
생각한다는 것은 자신과 세상과 삶을
생각한다는 것임을, 단단하면서도
유연한 사고로 어휘를 늘려 나가다
보면 폭넓은 교양과 사고를 아우를
수 있게 됨을, 저자는 저자 자신의
글로 보여 준다.

편집자 되는 법
책 읽기 어려운 시대에 책 만드는 사람으로
살기 위하여

이옥란 지음

편집자란 무엇인가. 출판 편집에 관심
있는 이와 편집자로서 좀 더 단단히
서고 싶은 이를 위한 매뉴얼. 16년간
편집자를 지내고 서울북인스티튜트에서
서울출판예비학교 편집자 과정
책임교수로 후배를 양성하고 있는
저자가 편집자의 정체성과 현실 그리고
전문가로서 갈고닦아야 할 실력과
안목을 알려 준다. 독서 인구가 매년
줄어들고, 척박한 환경에 높은 이직률을
보이는 현실이지만, 스스로 전문가로서
자신의 길을 개척하기를 권하는 편집자
선배의 안내서이기도 하다.

출판사에서 내 책 내는 법
투고의 왕도

정상태 지음

베테랑 편집자가 투고를 준비하는
예비 저자가 참고하면 좋을 만한
사항들을 정리한 믿음직한 안내서.
모든 원고의 첫 번째 독자이자
저자, 원고, 시장, 독자 모두를
고려하는 편집자의 복합적인 관점을
예비 저자가 익히도록 도움을 주는
책이다. 예비 저자가 자신의 원고를
어떤 방향으로 수정하고 보완해야
할지 생각해 볼 수 있도록 하는
동시에 콘셉트 만들기, 예상 독자
찾기, 기획서 완성하기, 투고할
출판사 찾기 등등에 대한 친절한
조언이 담겨 있다.

우리 고전 읽는 법
지금, 여기, 나의 새로운 눈으로

설흔 지음

저자 설흔은 20년간 우리 고전을
읽고 공부해 온 고전 마니아다. 우리
고전 문헌의 사실을 바탕으로 삼아
날줄로 엮고, 문헌에서 드러나지
않은 여백을 자신의 문학적 상상으로
씨줄을 엮어 흥미로운 소설 형식으로
고전을 소개해 온 저자가 저자가 우리
옛글을 읽기 어려워하는 성인 독자를
위해 작심하고 쓴 본격 고전 읽기 안내
교양서다. 지금 여기 우리의 관심사인
여성, 여행, 죽음, 취향, 경계인(소수자,
약자)와 같은 키워드로 옛글을
읽어 낸다.